Agradeço à minha esposa, Yischie Yamaguti Uchida, pelo companheirismo, suporte e compreensão ao longo de todos esses anos de amor e dedicação mútua, e aos meus filhos, Wagner Tadashi Uchida e Roger Tsuyoshi Uchida, ricos frutos desse encontro e solo fértil para os valores e os princípios do judô, homens dos quais já me orgulho.

Se agradeço aos filhos, não posso deixar de agradecer aos "pais-mestres", Mario Matsuda, Chiaki Ishii e Massao Shinohara, que o judô me deu e que me ensinaram o que realmente importa nas artes marciais e na vida. Agradeço também ao meu companheiro de kata e de conquistas, Luis Alberto dos Santos.

Agradeço também aos alunos da Associação de Judô Alto da Lapa (Ajal), em especial a Rodrigo Guimarães Motta, grande incentivador deste e de outros projetos que engrandecem o esporte e todos que o amam, e a José Fernandez Diaz, o Pepe, presidente e fundador da Ajal, o alicerce de uma instituição que preza por disseminar o judô em toda a sua grandeza técnica e moral.

Rioti Uchida

Este livro demandou muito trabalho para ser feito. Estudo prático e teórico, sessões fotográficas, revisões de conteúdo. Tudo isso para atender ao desafio proposto aos autores: escrever o melhor livro sobre judô já publicado no Brasil. De certa forma, ele começou a ser desenvolvido quando os autores se iniciaram na prática do judô, décadas atrás. Agora chega o momento de lançá-lo, e é necessário agradecer a todas as pessoas que contribuíram direta e indiretamente para sua confecção.

Agradeço em primeiro lugar aos meus familiares, que sempre me incentivaram, participando ou, pelo menos, aceitando as longas horas de prática esportiva em geral e do judô, em particular: José Alves Motta (*in memoriam*), Edith Martins Motta (*in memoriam*), Aldo Rodrigues Samarão Guimarães (*in memoriam*), Lais Barros Monteiro Samarão Guimarães, Aldo Rodrigues Samarão Guimarães Filho (*in memoriam*), Ivan Martins Motta, Maria Alice Barros Monteiro Samarão Guimarães, Alfredo Guimarães Motta, Kika Motta, Rafael Guimarães Motta Nakagomi, Sintya de Paula Jorge Motta, João Abade de Paula Motta e Antonio Bento de Paula Motta.

Agradeço também aos meus mestres no esporte: José Alexandre de Meyer Pflug (*in memoriam*), José Fernandes Lechner (*in memoriam*), Armando Luis Lechner (*in memoriam*), Chiaki Ishii e Rioiti Uchida. E reconheço todos os meus companheiros de equipe na Sociedade Harmonia de Tênis, Associação de Judô Ishii, Associação Atlética Acadêmica Getúlio Vargas, Associação de Judô Alto da Lapa, Associação de Grand Masters e Kodanshas de Judô do Brasil e de todos os demais locais onde treinei ou competi ao longo dos anos – representando a todos, o meu muito obrigado a Maurício Neder, meu amigo de todas as horas.

Meus agradecimentos vão também a todos aqueles que estiveram envolvidos no projeto deste livro: Henrique Farinha, Eduardo Meirelles, Biô Barreira, Bruno L. de P. Zago, Cláudia E. Rondelli, Luiz Lavos, Wagner Hilário, Wagner Tadashi Uchida, Roger Tsuyoshi Uchida, Aline Akemi Lara Sukino e Luis Alberto dos Santos.

Rodrigo Guimarães Motta

Uruwashi
O ESPÍRITO DO JUDÔ

"A natureza humana é constituída de vários atributos, muitas vezes conflitantes entre si. O equilíbrio é a meta final e precisa ser alcançado todos os dias. O guerreiro é também um homem de paz, assim como o pacífico é um homem de guerra – um não vive sem o outro. Aquele que segura no quimono também empunha a caneta. Não apenas derruba seus adversários, mas lhes entrega a mão para que se reergam, e erige, com palavras, edifícios de conhecimento... Uruwashi era o termo que os samurais usavam para definir esse estado de espírito, de equilíbrio interior entre o guerreiro e o artista que vivem dentro de cada um de nós. Uruwashi é a palavra que melhor define esta obra."

Wagner Hilário — Jornalista, escritor, aluno de judô do sensei Rioiti Uchida e colaborador da Editora Évora.

Rioiti
Uchida

Rodrigo
Motta

Uruwashi
O ESPÍRITO DO JUDÔ

A história, os valores,
os princípios e as técnicas
da arte marcial

generale

Presidente
Henrique José Branco Brazão Farinha
Publisher
Eduardo Viegas Meirelles Villela
Editora
Cláudia Elissa Rondelli Ramos
Preparação de texto
Heraldo Vaz
Revisão
Sandra Scapin
Projeto gráfico de miolo e editoração
Bruno L. de P. Zago
Capa
Luiz Lavos
Imagem de capa e miolo
Biô Barreira
Impressão
Edições Loyola

Copyright © 2014 *by* Rioiti Uchida e Rodrigo Motta

Todos os direitos reservados à Editora Évora.

Rua Sergipe, 401 – Cj. 1.310 – Consolação
São Paulo – SP – CEP 01243-906
Telefone: (11) 3562-7814/3562-7815
Site: http://www.editoraevora.com.br
E-mail: contato@editoraevora.com.br

DADOS INTERNACIONAIS DE CATALOGAÇÃO NA PUBLICAÇÃO (CIP)

(Câmara Brasileira do Livro, SP, Brasil)

U18u
    Uchida, Rioiti.
    Uruwashi : o espírito do judô / Rioiti Uchida, Rodrigo
Motta. - São Paulo : Évora, 2013.
    288p. : il.

    ISBN 978-85-63993-67-0

    1. Artes marciais. 2. Judô. I. Motta, Rodrigo. II. Título.

CDD- 796.8152

JOSE CARLOS DOS SANTOS MACEDO - BIBLIOTECÁRIO CRB7 N.3575

Educação,
não há nada maior no mundo.
A educação moral de uma pessoa se estende a 10 mil pessoas.
A educação de uma geração se expande por uma centena de gerações.

Jigoro Kano[1]

---

[1](KANO, 2008, p. 121)

Dedico este livro, antes de tudo, ao judô, que me deu direção e cujos valores e princípios ecoaram em meu íntimo desde o "primeiro encontro". Dedico-o aos mestres que o judô me deu, referências no tatame e fora dele; aos meus alunos, com os quais sempre aprendo ao ensinar; e à minha família, minha maior fonte de estímulo.

Rioiti Uchida

À minha mãe, Maria Alice de Barros Monteiro Samarão Guimarães, que, quando foi necessário, teve o coração de leão de uma verdadeira lutadora; aos meus professores de judô, jiu-jítsu e *water polo*, que desenvolveram minhas habilidades e meu interesse pela prática esportiva; em especial ao meu professor Rioiti Uchida; e aos meus amados filhos João Abade de Paula Motta e Antonio Bento de Paula Motta, a quem desejo uma trajetória longa e vitoriosa na vida e nos esportes.

Rodrigo Guimarães Motta

DEPOIMENTO

O judô é fonte de educação e formação do caráter humano. Muito mais do que um esporte olímpico, uma técnica de defesa pessoal e até mesmo mais do que uma arte marcial. A prática do judô lapida os homens, no sentido de torná-los mais íntegros e capazes de transformar o meio em que vivem para melhor.

Este livro tem justamente o propósito de enfatizar esse aspecto do judô, que, a meu ver, talvez seja o mais importante. E ninguém melhor do que Rioiti Uchida, ao lado de seu pupilo Rodrigo Motta, para realizar uma obra de tamanha importância e inédita no país. Vale lembrar que não existe no Brasil um livro sobre judô escrito por brasileiros e que trate da disciplina levando em conta seus aspectos essenciais; não existe aqui um livro que coloque o kata no mesmo nível de importância do judô competitivo.

O kata devolve o praticante de judô às raízes técnicas e filosóficas da arte, mostra-lhe sua origem, lembra ao competidor de shiais que há atributos mais importantes que a força e a capacidade de vencer os oponentes. Creio que o kata seja um nível mais avançado de judô, fundamental e complementar ao universo competitivo. Afinal, no kata, o espírito solidário e cooperativo é praticado de forma mais evidente.

Uchida é um dos maiores conhecedores de kata do mundo. Mais do que professor de arte marcial, é um educador para a vida; mais do que judoca, esmera-se em formar indivíduos capazes de agregar a sociedade, como Rodrigo Motta. Ele sabe que campeões são poucos, mas seres humanos, de verdade, todos devem ser. Um campeão cuja conduta humana não agrega nada a ninguém não pode ser considerado um judoca.

Educação moral e técnica de luta caminham juntas, jamais separadas. O judô é um caminho para ser seguido ao longo de toda a vida. Depois de certa idade, não se pode mais lutar; o kata, porém, pode ser praticado por muito tempo. Uchida sabe disso como poucos e, por isso, ensina o verdadeiro judô.

Espero que o leitor destas páginas as aproveite ao máximo. Se for judoca, que se lembre sempre de enxergar o judô pelo que tem de mais valioso: a educação para a vida. Se não for, que enverede por esse suave caminho. Será bem-vindo.

Professor Mario Matsuda (8ª Dan)

Profundo conhecedor do judô Kodokan, tanto da parte técnica quanto da formação moral. No Brasil, é também um dos maiores conhecedores de kata e o principal incentivador da participação do professor Uchida nos campeonatos internacionais de kata.

SUMÁRIO

INTRODUÇÃO 01

CAPÍTULO 1 – A FILOSOFIA DO JUDÔ 03

CAPÍTULO 2 – A HISTÓRIA DO JUDÔ 13

CAPÍTULO 3 – KATA 27

CAPÍTULO 4 – MOVIMENTOS BÁSICOS DO JUDÔ 33

CAPÍTULO 5 – GOKYO 53

CAPÍTULO 6 – RENRAKU-HENKA-WAZA 127

CAPÍTULO 7 – NAGE-NO-KATA 233

CONCLUSÃO 269

BIBLIOGRAFIA 272

INTRODUÇÃO

Uruwashi é possivelmente a obra mais completa já produzida em língua portuguesa a respeito dessa arte marcial. Ela se destina a inúmeros públicos, constituindo referência filosófica e técnica a praticantes da arte, fonte de consulta e de entendimento do judô a curiosos e estudiosos do tema, além de cumprir a função de "porta de entrada" às pessoas que querem enveredar por esse riquíssimo "caminho suave"[1].

A obra se divide em três volumes. Neste, que é o primeiro, buscamos apresentar o judô ao leitor em toda sua profundidade e amplitude. Por isso, conta a história da arte marcial, da sua fundação (fruto do gênio visionário de sensei Jigoro Kano), e mergulha em sua riqueza filosófica, que remonta a cultura milenar japonesa, sobretudo os valores samurais, constituídos por elementos de doutrinas como o xintoísmo, o budismo, o confuncionismo e o taoísmo.

Do ponto de vista histórico e conceitual, nos dois volumes restantes desta obra, o leitor também encontrará a história do judô no Brasil e descobrirá a função educativa do esporte sob o ponto de vista dos autores, que ainda tratam do cuidado essencial que se deve ter para que o valor filosófico da arte não se perca por seu caráter competitivo.

Além da essência "espiritual", os livros apresentam ao leitor o "corpo" do judô, a forma que essa filosofia e história adquirem por meio da execução física das técnicas, muitas das quais criadas há um milhar de anos e, ao longo de todo esse período, depuradas por inúmeros samurais e mestres, entre os quais Jigoro Kano. Foi sensei Kano, ainda durante o século XIX, o responsável pela organização das técnicas básicas de nagewaza (arremessos), katamewaza (imobilizações), kansetsuwaza (chaves) e shimewaza (estrangulamentos).

Também no plano das técnicas, a obra mostra, em detalhes, suas aplicações, além de apresentar ao leitor os sete kata — sequências pré-definidas de técnicas que devem ser executadas da forma mais pura possível (conforme foram concebidas por Jigoro Kano) por dois judocas (tori, o que aplica a técnica, e uke, o que a recebe).

Neste primeiro volume, além da gênese histórica do Caminho Suave e seu alicerce filosófico, o leitor encontra, do ponto de vista técnico, os movimentos básicos do judoca dentro do tatame, bem como as saudações, as etiquetas, os cinco grupos básicos de golpes de projeção (gokyo), as sequências de técnicas e o primeiro dos sete kata, o nage-no-kata, composto por golpes do gokyo.

Por esta introdução, acreditamos que seja possível ter uma ideia do universo de conhecimento que este e os próximos volumes apresentarão a respeito dessa arte marcial. Desfrute, conheça e pratique este suave caminho até o último volume.

---

[1] Tradução livre da palavra "judô": "ju" (suave) e "dô" (caminho).

CAPÍTULO I

A FILOSOFIA DO JUDÔ

Já foi dito que, se todos os homens praticassem judô, não haveria guerras. Para um leigo, a afirmação parece incoerência, mas não há nenhuma imprecisão conceitual para os praticantes da arte marcial — ao menos para os que a praticam com base em seus conceitos fundadores. Segundo o sensei Jigoro Kano, fundador do judô, a meta mais elevada desse esporte é o aprimoramento próprio pelo bem da sociedade[1].

O judô é uma luta, sim, mas uma luta pelo autoconhecimento, por meio da qual se adquire autocontrole, que, por sua vez, desagua em uma visão mais clara, humana e harmoniosa do mundo e do próximo. "O judô não é apenas uma arte marcial, mas sim um princípio básico do comportamento humano" (KANO, 2008, p. 66), porque, antes de tudo, sua função não é nos ensinar a derrubar, mas sim a cair e, sobretudo, a nos reerguer. E se a arte tem esse propósito de educar para a vida, aquele que nos derruba não é nosso inimigo, mas professor. No judô, agradecemos aos que nos derrubam e aos que derrubamos, pois estes, ao se reerguerem, também nos ensinam.

O judô se diferencia das escolas de jujutsu, não podendo, portanto, ser classificado como tal pelo seguinte motivo: enquanto essas escolas priorizaram as técnicas de luta, o judô, embora tenha sua plataforma técnica e conceitual oriunda da velha arte — com o acréscimo de algumas técnicas e adaptações desenvolvidas pelo próprio sensei Kano —, priorizou os valores e princípios que sempre subsistiram nas artes marciais. Não por acaso, a palavra jujutsu significa "técnica (arte) suave" e judô, "caminho (princípio) suave", em uma deliberada opção de Kano para priorizar os valores e princípios samurais. Assim, o principal propósito do judô não é a luta, mas a educação.

> "Não importa que você seja uma pessoa maravilhosa, que tenha uma inteligência brilhante e um corpo forte; se morrer sem atingir a meta — usar sua energia para o bem de todos —, isso de nada adiantará. Como diz o provérbio, 'um tesouro não utilizado é um tesouro desperdiçado'."
>
> **Jigoro Kano, fundador do judô**

"Para Jigoro Kano, educar é criar circunstâncias para o ser se desenvolver em todos os aspectos de sua personalidade e de seu potencial criativo para seguir sua vocação maior de 'ser mais' — a busca do homem por ultrapassar seus limites, partindo da concretude condicionante na direção dos objetivos universais. Jigoro Kano, que merecidamente foi chamado de 'pai da educação integrada no Japão', sabia que educar o homem é ajudá-lo a crescer conhecendo o seu mundo; mas, para conhecê-lo bem, seria preciso conhecer a si mesmo. Somente assim o ser se torna verdadeiramente homem, e humano, o seu mundo"[2].

O judô, embora seja educação, exige muito mais do que estudo teórico para ser compreendido: é preciso haver prática, e deve ser praticado sob o alicerce do conhecimento de sua história e filosofia, de modo a não limitá-lo à mera ponte para uma ansiada e imatura sensação de onipotência, de saciedade do próprio ego.

---

[1] KANO, 2008.

[2] SUGAI, 2000.

Tampouco a principal finalidade do judô é formar grandes campeões, sujeitos que se fazem notar mais pelo que conquistam no tatame do que pela benemérita vida que levam. Isso deve ser apenas consequência de uma conduta como homem e atleta adequada, de entrega, dedicação e disciplina.

Para o fundador da arte, o judô é um suave caminho para o autoconhecimento e o autodesenvolvimento, a partir do qual se pode conhecer a sociedade e o mundo e se identificar como parte integrante de um todo, que também se deve desenvolver. Assim, se somos parte do todo, o bem de todos também será o nosso, e essa dinâmica criará um ciclo virtuoso de bem-estar e prosperidade. "Sojo sojou jita kyoei (prosperidade mútua por meio da assistência e da concessão mútua)." (KANO, 2008, p. 61).

Pilares filosóficos

Toda base filosófica que suporta o judô advém do fato de Jigoro Kano ser um profundo conhecedor de inúmeras culturas, mas, sobretudo, da japonesa. O judô sintetiza uma maneira de pensar extremamente nipônica, calcada no Bushido, cuja tradução é exatamente "caminho do guerreiro", o código de honra não escrito dos samurais, palavra que, por sua vez, embora possa ser usada como sinônimo de guerreiros, quer dizer, literalmente, "aqueles que servem". Os samurais se notabilizaram por ser uma classe de guerreiros japoneses que existiu por mais de mil anos (dos séculos VIII ao XIX). A acepção estrita do termo — aquele que serve — decorre de os samurais serem homens cuja principal e primeira incumbência era servir ao imperador, ou ao seu daimyo — o senhor feudal, que, em regra, era também samurai, tendo depois conquistado *status* de nobre —, em um primeiro momento por meio da cobrança de impostos e outros serviços públicos civis e, mais tarde, ocupando, sobretudo, importantes funções militares.

Mais do que por suas funções públicas, porém, os samurais se fizeram notar pela conduta extremamente honrada, que nem o ambiente de constante conflito e risco à vida os fazia retroceder. Aliás, se recuassem deixariam de ser legítimos samurais, pois estes não eram apenas guerreiros, mas homens eruditos e tecnicamente privilegiados, dotados do domínio de inúmeras e diferentes artes marciais, muitas das quais relacionadas ao jujutsu, cuja tradução "arte suave" ou "técnica suave" servia para designar todas as escolas de luta samurai que não faziam uso de armas. Mais do que isso, o samurai de verdade também devia dominar ao máximo as chamadas "artes de paz", entre as quais figuravam poesia, jardinagem, pintura a nanquim e cerimônia do chá. A valorização desse equilíbrio de habilidades culturais e marciais em uma única pessoa era algo que precedia os samurais, apesar de ter se tornado mais notório entre eles. O ideograma utilizado para representar esse equilíbrio de habilidades, cuja pronúncia em japonês é *uruwashi*[3], nasceu na China, onde a ideia é igualmente apreciada. Todavia, todo esse apreço pelo equilíbrio entre as artes culturais e marciais de nada valeria sem valores e princípios também elevados. Talvez por isso os samurais se tenham notabilizado tanto pelas habilidades artísticas interdisciplinares quanto pelo código de conduta que cultivavam com maternal zelo, colocando-o acima da própria vida. Esse código de conduta era denominado Bushido, e pode ser sintetizado em sete palavras: justiça (Gil), coragem (Yuu), benevolência (Jin), educação (Rei), sinceridade (Makoto), honra (Meiyo) e lealdade (Chuugi)[4].[512]

---

[3] WILSON, 2006.

[4] Instituto Niten, 2009.

Ju (suave)

O fato é que o Bushido — e consequentemente o judô, já que incorpora esses atributos — se alicerça sobre quatro doutrinas filosóficas: xintoísmo (tradicional religião da Terra do Sol Nascente que se baseia no culto a deuses da natureza e antepassados), budismo, confucionismo (do pensador chinês Confúcio ou Kong Fu Tse) e taoísmo. Essas doutrinas filosóficas e religiões têm muito em comum, mas vale destacar um princípio, o do ju (suave), muito contemplado pelos samurais — como já dissemos, todas as técnicas marciais de combate sem armas eram conhecidas como jujútsu — e também por Jigoro Kano, que identificou na suavidade o primeiro princípio do judô.

Assim, o ju é um dos cernes conceituais do judô, pois traz em si a ideia de ceder para vencer, tão bem metaforizada pelo salgueiro (chorão). Durante o rigoroso inverno nipônico, quando a maioria das árvores tem os galhos partidos pelo enrijecimento imposto pelo frio e pela neve que se acumula, os do salgueiro resistem, porque vergam, cedem à neve em vez de se opor à força maior, deixam que parte dela escorregue e, quando chega a primavera, o sol derrete o gelo e os galhos retomam a posição original, como se fossem intocáveis pelo frio. *Ju yoku go o seisu* — o suave controla o duro. Eis o princípio do ju.

"Vamos imaginar que eu tenha um oponente cuja força, numa escala de um a dez, tenha potência dez, e eu tenha de enfrentá-lo com a minha força, que tem potência sete. O que acontecerá se eu resistir quando meu oponente me empurrar com toda sua energia? Serei vencido, mesmo que use toda a minha força. Se, em vez de resistir a esse oponente mais forte, eu me adaptar e me ajustar à força dele e me afastar, ele cairá para a frente, impulsionado pela força do próprio ataque. A potência dez de sua força se tornará apenas três, e ele tropeçará e perderá o equilíbrio. Mas eu não estarei desequilibrado e, portanto, poderei me afastar, manter minha postura e a potência sete de minha força original... Em resumo, se você resistir a um oponente mais forte será derrotado, mas se conseguir se ajustar e evitar o ataque do oponente você o fará desequilibrar-se, ter sua força reduzida e ser derrotado" (KANO, 2008, p. 36).

Decerto, o leitor já deve ter projetado o princípio do ju para outras atividades que não apenas o judô. Nas relações corporativas, familiares, ou entre colegas, enfim, no dia a dia de qualquer pessoa, a suavidade ou a flexibilidade é indispensável, desde que não signifique romper com as próprias raízes. A razão do ju é justamente preservar as raízes, os valores que nos servem de base e de trilha para seguir a vida. Pode-se dizer que o ju, nos relacionamentos interpessoais, é sinônimo de compreensão.

Às vezes, um amigo ou parente está nervoso, dizendo-se disposto a fazer coisas que não trazem nada de bom a ninguém. Opor-se frontalmente e dizer-lhe que está errado sem antes compreendê-lo não é a medida mais inteligente para se atingir o objetivo de devolver-lhe o equilíbrio. O mais sensato, neste caso, com o uso do princípio do ju, seria compreender as razões do outro e depois mostrar que o entende e que é normal agir assim, mas, ao mesmo tempo, deixar claro que não é o melhor para ele. Assim, aumentam suas chances de chegar ao seu objetivo.

Seiryoku zenyo — mínimo de esforço, máximo de eficiência

Estudioso de diversas escolas do jujútsu, Kano compreendeu que o ju, apenas, não seria eficiente em todas as situações de combate. Ou seja, nem sempre o suave seria capaz de controlar o duro, nem sempre o mais forte dissiparia de forma ineficaz sua energia contra oponente fisicamente mais frágil, correndo o risco de que este fosse tecnicamente superior. Assim, o judô precisaria de princípios e técnicas — para a luta e para a vida — mais abrangentes.

Nesse ponto, vale retomarmos a influência das doutrinas filosóficas sobre o judô. E, talvez, a que mais se aplique às técnicas ou golpes da arte marcial seja o taoísmo. Tao, do chinês, significa "caminho", mas, pela maneira como é consagradamente utilizado, quer dizer "caminho do universo". Tal doutrina filosófica é uma das mais antigas do mundo e serviu de referência para inúmeras outras, como o próprio budismo e o confucionismo. A ideia de caminho do meio é amplamente explorada no taoísmo, cujo símbolo é o yin-yang — um círculo preenchido por duas cores em forma de ondas, o preto e o branco, dividindo igualmente o espaço e invadindo-se, uma à outra, por meio de círculos menores, dando a ideia de conciliação entre os opostos.

O taoísmo tem, entre seus princípios, o conceito de que a natureza está em constante mutação e que não se deve lutar contra isso, pois seria lutar contra a natureza, da qual somos parte, e não donos. Assim, o homem para alcançar seus objetivos precisa saber a hora de agir, usando a seu favor as forças da natureza, do universo. Do contrário, o esforço despendido para se chegar ao objetivo será muito maior e as chances de sucesso, bem menores.

O símbolo yin-yang do taoísmo.

Essa ideia tem forte ligação com o princípio primordial do judô concebido por Kano: "Os waza (técnicas) do judô se baseiam em várias teorias. *Ju yoku go o seisu* é apenas uma pequena parte da teoria dos antigos jujutsu e taijutsu — uma forma mais arcaica de se referir às lutas sem uso de armas. Mas existirá outra teoria que se pode aplicar em todas as situações?" (KANO, 2008, p.38)

O próprio Kano responde: seiryoku zenyo — mínimo de esforço, máximo de eficiência. "Se colocar a energia para trabalhar de maneira racional, você conseguirá derrubar uma pessoa com muito mais força que você com apenas um dedo — para qualquer direção que você a empurre, se ela estiver relaxada e com o equilíbrio fraco, ela cairá. Mesmo que o oponente tenha o dobro ou o triplo de sua força, você pode executar seu movimento no exato momento em que ele ficar desequilibrado e poderá facilmente arremessá-lo com algo simples como uma rasteira." (KANO, 2008, p. 39)

Ao exemplo do ju, o seiryoku zenyo não se restringe ao dojo. O planejamento, a capacidade de estabelecer metas e a imersão nas atividades com foco pleno para cumpri-las e atingir o objetivo principal são maneiras de buscar o máximo de eficiência com o mínimo de esforço. Não é por acaso que tais práticas são indissociáveis ao universo corporativo realmente competitivo. O que talvez valha destacar do judô e do seiryoku zenyo, mas que nem sempre é aplicado pelas pessoas no dia a dia, é o foco total, a imersão na atividade que se realiza naquele exato instante. Aqui, então, temos um princípio do zen budismo reproduzido pela arte marcial.

De acordo com a doutrina zen budista, a transcendência não reside em nenhum ato sobrenatural, mas na entrega plena do corpo e da mente a cada atividade feita ao longo da vida no instante em que ela é empreendida, ciente de que, invariavelmente, elas passarão, porque tudo passa. É dessa maneira que se alcança a excelência e que se erradicam as angústias, já que elas também serão vivenciadas em sua plenitude, serão compreendidas, superadas e passarão. Até por isso, na vida e também no judô, quaisquer espécies de euforia e desânimo não acrescentam nada. Primeiro, porque impedem que a pessoa mergulhe no que se propõe a fazer de corpo e mente e, segundo, porque elas passarão.

O fato é que o ju e o seiryoku zenyo não se excluem, pelo contrário, se complementam, são mais fortes quando usados de forma conjunta, bem como o terceiro princípio do judô, o que constitui um todo harmônico.

Sensei Jigoro Kano treinando mulheres judokas.

Jita kyoei — bem-estar e prosperidade mútua

O terceiro e último princípio do judô, e do qual já falamos indireta e superficialmente no início do texto, pode e deve ser alcançado por meio do ju e do seiryoku zenyo. É, aliás, a sua principal finalidade, pois a máxima eficiência e a suavidade, como já escrevemos, não devem se restringir ao tatame, mas serem praticadas em todos os aspectos da vida. Compreendido de forma adequada, esse princípio sintetiza o espírito do judô: a máxima eficiência do uso da mente e do corpo para o benefício e o bem-estar mútuos.

Ao mesmo tempo, zelar pelo bem-estar — do próximo e pelo seu próprio — é uma maneira de constituir uma sociedade mais eficiente. Ou seja, o jita kyoei também é seiryoku nessas circunstâncias. "O conflito gera perdas para todos, assim como a harmonia traz ganhos para todos. Se um grupo de pessoas vive junto, elas não apenas podem evitar se ofenderem umas às outras, como também podem se ajudar mutuamente. Existem coisas que não podem ser feitas por uma só pessoa, mas que necessitam da ajuda de outras. Além disso, as virtudes e os pontos fortes de cada uma delas complementam e acentuam os das demais... Dessa maneira, se cada membro do grupo ajudar os demais e agir de maneira altruísta, o grupo poderá ser harmonioso e agir como uma só pessoa." (KANO, 2008, p.61)

Como os demais, o terceiro princípio do judô está intrinsecamente relacionado às doutrinas filosóficas que formam a cultura japonesa, sobretudo a que precedeu a Restauração Meiji[5]. O jita kyoei, pode-se dizer, tem forte relação com o xintoísmo. Nele, a noção de integridade da sociedade e do meio ambiente é clara, o que também fundamenta a ideia de que o prejuízo do próximo pode significar o próprio dano. Além disso, a religião, tipicamente japonesa, guarda em si enorme respeito, gratidão e veneração aos antepassados, cujos ensinamentos são cultivados como verdadeiros legados de prosperidade e bem-estar.[3]

---

[5] Nome dado ao período que compreendeu a segunda metade do século XIX, quando o Japão deixa de ser um país feudal para se tornar um país capitalista, alçando-se, em pouco tempo, ao posto de maior potência econômica e política do oriente.

Tais valores incorporados pelos samurais e, por consequência, pelo judô são facilmente identificáveis na maior parte dos dojos (academias) em que o esporte é ensinado. Toda academia traz na parede uma foto de Jigoro Kano, ao qual o judoca, seja kohai (menos experiente) ou senpai (mais experiente), deve reverência sempre que entra e sai do dojo. O legado de conhecimento deixado pelo mestre exige dos judocas gratidão, o que se realiza por meio de reverência.

Assim, a questão do bem-estar social, só alcançável pelo respeito mútuo e pelo conhecimento advindo da interação, é uma clara preocupação de Jigoro Kano, que procurou fazer do judô um caminho prático para o melhor convívio. Nesse ponto, a arte marcial tem muito do confucionismo, doutrina filosófica cujo principal propósito sempre foi promover a melhor relação entre os homens, partindo de valores morais sólidos que serviam de norma de conduta para uma sociedade mais reta, parcimoniosa e harmônica, e concebida por Confúcio (século VI e V a.C.), pensador, tratadista e legislador chinês[6].

Jigoro Kano

"Por meio do judô, ensinamos um conceito que pode ser trabalhado junto com os princípios mais elevados do budismo ou do cristianismo ou dos estudos exaustivos dos filósofos; é um fundamento que, como as outras filosofias e religiões, pode ser colocado em prática." (KANO, 2008, p. 70). Vale observar que Jigoro Kano não inventou esses princípios, mas identificou-os no jiu-jítsu que praticava — o que ninguém havia feito antes — e depois buscou aprimorá-los, usando-os como alicerces para o Judô Kodokan, nome que daria à sua escola de jujútsu.

O fato é que Jigoro Kano desvendou os princípios que existiam sob o jujutsu, que àquela altura, quando o Japão deixava, de uma vez por todas, de ser o país dos samurais, era marginalizado, vulgarizado e, muitas vezes, objeto de espetáculos de luta cujo fim principal era o lucro; fatos que só corroboravam a ideia disseminada na ocasião de que a arte marcial japonesa era coisa de "bárbaros", esquecendo o passado cheio de significados morais e conhecimentos filosóficos do jiu-jítsu. Inteligente e sensível, sensei Kano procurou devolver a arte marcial à sua verdadeira raiz, dando-lhe um justo e merecido lugar de destaque no mundo.[4]

---

[6] SCHILING, 2009.

Os três níveis — básico, intermediário e superior

Estabelecidos os princípios, Jigoro Kano constatou que o judô deveria ser considerado em três níveis: básico, intermediário e superior. Segundo ele, sem atingir o nível superior, o judoca jamais compreenderá sua essência, jamais será um verdadeiro praticante. Deve-se entender o nível básico como treinamento de defesa e ataque, por meio do qual se alcançará o intermediário: o aprimoramento da mente e do corpo.

Vale lembrar do que falamos anteriormente: o treinamento do judô, consistindo basicamente no treinamento de defesa e ataque — quedas, projeções, submissão e superação —, leva as pessoas a entrarem em contato com as próprias limitações, a descobrirem-se responsáveis pelos próprios insucessos e êxitos. Leva-as a valorizar os próprios méritos e os alheios, reerguendo-se ou derrubando, e, com autocompreensão e autodomínio, também as faz entender melhor a sociedade em que vivem.

O treinamento de ataque e defesa, em síntese, leva-nos a treinar a mente e o corpo, controlar as emoções e desenvolver a coragem. A prática desses dois níveis é contributiva para a conquista do nível superior, que não necessariamente será alcançado apenas por meio do judô, já que existem outras maneiras — aliás, inúmeras — de atingi-lo. O nível superior consiste, então, no uso da energia do ser humano para o bem da sociedade, como escrevemos logo no primeiro trecho deste texto.

"Ao dividirmos em três níveis, podemos ver que o judô não deve se limitar ao treinamento para a luta no dojo (nível básico) nem mesmo ao treinamento do corpo e o aprimoramento da mente (nível intermediário). Não importa que você seja uma pessoa maravilhosa, que tenha uma inteligência brilhante e um corpo forte; se morrer sem atingir a meta, isso de nada adiantará. Como diz o provérbio, 'um tesouro não utilizado é um tesouro desperdiçado'. Você pode dizer que se aperfeiçoou, mas não que tenha contribuído para a sociedade. Eu insisto em dizer que os praticantes de judô precisam reconhecer que ele tem três níveis e que é preciso treinar igualmente todos os três." (KANO, 2008, p. 81.)

CAPÍTULO 2

A HISTÓRIA DO JUDÔ

As artes marciais são apreciadas pelos japoneses desde muito antes do surgimento do judô. Os registros mais antigos do uso de conhecimento técnico-marcial de modo razoavelmente sistemático entre os nipônicos remontam a mais de 2 mil anos, época de grande instabilidade e completa fragmentação político-econômica no país[1]. Como esse período, em que imperava um clima de absoluta insegurança, duraria mais de dez séculos, os japoneses se debruçariam como nenhum outro povo no desenvolvimento de modelos de artes marciais que podiam ou não se valer do uso de armas.

Algumas das técnicas de luta mais famosas que usavam armas eram to kyujutsu (técnica com arco e flecha) e kenjutsu (com espada). As artes marciais valendo-se apenas do corpo seriam chamadas, em um primeiro momento, de taijutsu (técnica corporal). Mas, com o passar do tempo e o seu aperfeiçoamento, já no Japão unificado pelo xogum[2] Tokugawa — por volta de 1600 d.C. —, embora ainda com tensões latentes entre os inúmeros daimyo (senhores feudais-samurais), essas técnicas viriam a chamar-se jiu-jítsu. E assim seriam denominadas as artes marciais corporais japonesas, até que surgisse o judô.

O judô nasceu em um momento de profundas mudanças socioculturais e econômicas no Japão. O modelo feudal, que por quase dez séculos vigorara no país, dava lugar a uma radicalmente díspar sociedade capitalista na segunda metade do século XIX. Dentre os pilares do velho império nipônico figurava uma poderosa classe de guerreiros, os famosos samurais, aos quais cabia, sobretudo, resguardar a vida de seu daimyo, que por sua vez, nesse momento histórico, também era samurai, não apenas porque recebia instrução marcial, mas porque tinha sangue de samurai. Eles eram o que se convencionou chamar de nobres guerreiros. O fato é que os samurais representaram por muitos anos o ideal humano para os japoneses. Ser um grande homem era, antes de qualquer coisa, ser um admirável samurai.

Mas, da noite para o dia, os valores no Japão viraram de cabeça para baixo. Em 1854, sob o risco de uma inevitável invasão militar, a principal autoridade nipônica, o xogum Tokugawa Yoshinobu, cujo clã mantinha há quase três séculos liderança absoluta sobre o Japão, se viu obrigado a assinar o Tratado de Kanagawa,

Um samurai da época Tokugawa e um retrato do xogum Tokugawa Yoshinobu.

---

[1] MIFUNE, 2004.

[2] Líder militar supremo, no Japão, que chegou a suplantar o poder do imperador, segundo o Dicionário Priberam da Língua Portuguesa.

que significava a abertura de dois portos na porção sul do território japonês para a ancoragem de navios estadunidenses. O tratado também estabelecia que os nipônicos não detivessem marinheiros norte-americanos naufragados na costa da Terra do Sol Nascente. A assinatura era sem dúvida uma derrota do xogum e do povo japonês, que havia décadas resistia à invasão estrangeira, cuja principal finalidade era conquistar a nova terra. Se não fosse possível, queriam ao menos desenvolver novos parceiros e estabelecer novas rotas comerciais. Ao Tratado de Kanagawa, seguiram-se outros dois de natureza semelhante com a Grã-Bretanha e com a Rússia Imperial. O xogum caíra em total descrédito.

"Com o prestígio do governo (do xogum) no chão por ter capitulado frente àquelas forças estrangeiras formidáveis, um grupo de reformadores composto por jovens samurais e de alguns daimyo resolveu agir. Adotando o lema 'reverenciemos o imperador e expulsemos os bárbaros', tratou de derrubar o Xogum[3]." Em 1867, Tokugawa é deposto do poder ditatorial que exercia e o jovem imperador Mutsohito, cujos antepassados, durante o xogunato, tinham perdido relevância política e militar, exercendo autoridade meramente alegórica, é entronizado efetivamente pelo grupo de jovens samurais e daimyo, que ficariam conhecidos como os "barões reformistas". Para consolidar a realização, os barões decidem transferir a capital do Império de Kyoto para Edo, que já na época era considerada a capital marcial do país em virtude de ser a cidade onde residia o xogum. Com a derrocada do xogunato, Edo é rebatizada, passando a se chamar Tóquio (capital do oriente). O imperador ganha também um novo nome e passa a chamar-se Meiji (iluminado). "Seguiu-se então uma série impressionante de reformas políticas e sociais que, referendadas pelo Gokajyo no Goseimon (o Juramento dos Quatro Artigos, de 1868), visavam a prover o Japão do que havia de melhor no mundo do conhecimento e da tecnologia [...] Decidiram aprender tudo o que fosse possível sobre as maravilhas estrangeiras para manter a nação livre. Não a queriam ver reduzida ao triste papel de ser uma colônia ocidental como acontecera com a China depois das duas Guerras do Ópio, a de 1839 e a de 1856. Dessa maneira, recorrendo a estratégia de aprender com o inimigo, seguindo o lema Bummei Kaika, 'Civilização e Ilustração', o Japão, tomando o caminho da industrialização acelerada, tornou-se a única potência asiática ainda no final do século XIX." (SCHILING, 2009). Esse período, de profunda transformação, ficou conhecido como Reestruturação Meiji ou Era Meiji, e o período anterior, como Era Edo.

O fundador

Jigoro Kano nasceu no dia 28 de outubro de 1860, na litorânea Mikage, hoje parte da cidade de Kobe, seis anos depois da assinatura do Tratado de Kanagawa e sete anos antes da deposição de Tokugawa. Seu pai era um Mareshiba — chamava-se Jirosaku Mareshiba Kano —, linhagem tradicional japonesa que se estendia até os primórdios do Japão. Entre seus antepassados, incluíam-se diversos sacerdotes xintoístas, monges budistas e intelectuais confucionistas. Sua mãe, Sadako, que vinha de um dos principais clãs produtores de saquê, era educadora e faleceu quando Jigoro Kano tinha 8 anos de idade.

Como empresário e funcionário de destaque do novo governo japonês, Mareshiba, que desde o nascimento de Jigoro Kano, o mais novo de seus três filhos, se encarregara pessoalmente da educação do caçula, precisou mudar-se para Tóquio no mesmo ano da morte de sua esposa e consigo levou o pequeno Jigoro. "Para o jovem Kano, a primeira e mais vívida impressão da capital foi a visão dos ronin[4] andando afetadamente

---

[3] SCHILING, 2009.

[4] Samurai sem um senhor ao qual servir e defender.

pelas ruas, exibindo com orgulho suas duas espadas[5]. (A proibição do porte de espadas foi decretada alguns meses após a chegada da família Kano a Tóquio[6]).”

Bem-nascido, o jovem Kano teve excelente educação. No mesmo ano da chegada a Tóquio, foi matriculado na Seitatsu Sojuku, escola do intelectual Keido Ubukata, onde recebeu educação japonesa tradicional, sendo instruído nos clássicos chineses e nipônicos e aprendendo também caligrafia a pincel. O próprio Ubukata, porém, diria a Kano que apenas educação clássica japonesa não seria suficiente. Segundo o intelectual, os estudantes japoneses também “precisariam estar completamente familiarizados com a cultura ocidental” (STEVENS, 2007, p. 15). Assim, aos 13 anos, Jigoro Kano estudou inglês e depois foi matriculado na Ikuei Gijuku, onde todos os cursos eram ministrados em língua estrangeira, sobretudo inglês e alemão, e por professores estrangeiros.

Foi nesse período que Kano, cuja compleição física era notadamente mirrada, começou a sofrer com trotes dos alunos mais velhos e invejosos de sua capacidade intelectual acima da média. A situação não era nada confortável para o jovem Jigoro. Foi então que ele ouviu falar pela primeira vez de jujutsu, já à época uma arte marcial famosa por permitir que um homem fisicamente mais frágil vencesse outro mais forte, usando o princípio da suavidade. Kano levaria algum tempo para começar a praticá-lo, antes ainda estudaria na Escola de Línguas Estrangeiras de Tóquio para depois entrar na Academia Kaisei, que, em 1877, se transformaria na Universidade de Tóquio, a mais importante instituição de ensino do país e da qual Kano seria um dos alunos da turma inaugural.

As escolas

A predisposição de Kano para o mundo acadêmico era inegável. Aos 17 anos, ele já tinha amplo conhecimento sobre ciência política, filosofia, literatura e astronomia. Mas sua notoriedade como estudante não era suficiente para impedir que outros jovens continuassem a agredi-lo e a provocá-lo. O futuro fundador do judô, então, decidiu que faria jujútsu de qualquer maneira, mesmo que isso significasse praticar uma arte que era malvista pelos estrangeiros que inundavam o Japão na época e também pela maioria dos japoneses, que tendiam a superestimar a cultura ocidental e a depreciar a cultura nipônica da Era Edo[7], período em que o governo era um grande incentivador das academias de artes marciais, apoiando-as até financeiramente.

Dessa forma, àquela altura, não era fácil encontrar um bom professor de jiu-jítsu. Estima-se que na época havia apenas cem dojos[8] em todo o Japão. Mas Kano estava determinado e, aos 17 anos, começou a treinar o jujútsu da Tenshin Shin’yo Ryu[9], um estilo que enfatizava os atemi[10] e técnicas de estrangulamento (shime-waza), imobilização (osae-komi-waza), de chaves nas articulações (kansetsu-waza) e, em menor grau, técnicas de arremesso (nage-waza). O mestre desse dojo era Hachinosuke Fukuda, discípulo de Mateamon Iso, o fundador da escola.

---

[5]   As duas espadas dos samurais eram atributos indispensáveis à sua indumentária e, juntas, formavam um conjunto chamado de daisho (grande-pequena), já que se constituía de uma espada grande, a katana, e outra pequena, a wakizashi.

[6]   STEVENS, 2007, p.14.

[7]   Período em que o Japão foi governado pelos Tokugawa, que estabeleceram a cidade de Edo, hoje Tóquio, como capital do governo marcial, enquanto Kyoto era a capital imperial.

[8]   Academias.

[9]   Ryu quer dizer “escola”.

[10]   Golpes em pontos fracos anatômicos. Para ser preciso, chutes, socos, joelhadas e cotoveladas.

Kano apaixonou-se pelo jujútsu e era um aluno assíduo, sedento por conhecimentos teóricos que nem sempre Hachinosuke podia suprir. O mais frequente companheiro de treino de Kano era um peso pesado chamado Fukushima, ao qual o talentoso, mas frágil fisicamente, Jigoro, tinha grande dificuldade em superar, sendo invariavelmente derrotado pelo colega nos randori[11]. O jovem lutador passou então a ler sobre artes marciais na biblioteca de Tóquio e descobriu, no modelo de luta ocidental conhecido como greco-romana, uma técnica que aplicaria com sucesso no randori contra o pesado Fukushima. Mais tarde, ele rebatizaria a técnica aprendida nos livros de kata-guruma (giro de ombros).

Em 1879, Kano fez parte de um selecionado grupo de lutadores que demonstraria as artes marciais japonesas ao ex-presidente dos Estados Unidos, Ulisses Grant, em visita ao Japão. A demonstração causou uma boa impressão e teve grande repercussão na imprensa norte-americana (STEVENS, 2007, p. 19). No mesmo ano, Hachinosuke Fukuda faleceria, aos 52 anos. Em seu lugar, ficaria Masamoto Iso, filho do fundador da Tenshin Shin'yo Ryu e mais velho que Hachinosuke, com 60 anos. Em razão da idade, Iso não participava de randori, como o antecessor, mas foi com o novo mestre que Kano descobriu os encantos do kata[12]. "Kano contou mais tarde a seus alunos que os kata de Masamoto foram 'os mais bonitos' que já viu serem executados." (STEVENS, 2007, p. 19.)

Kano em performance de luta contra Kyuzo Mifune.

Gradativamente, Kano se tornava um lutador com vasto repertório, bom em kata e em combates. Quando era possível conciliar com os estudos, Kano passava dias quase inteiros treinando, enfrentando seus colegas de dojo até a exaustão. Era comum também sonhar com situações de luta. Para se ter ideia da paixão pela arte marcial, seu quarto dispunha de várias engenhocas que lhe permitiam treinar sozinho.

Em 1881, mais uma vez a sólida disposição de Kano em continuar a praticar artes marciais seria atacada. Masamoto, o homem dos belos kata, morreu, e ele precisou buscar um novo dojo. Foi então que descobriu a Kito Ryu, cujo sensei era Tsunetoshi Iikubo. A nova escola abriria para Kano perspectiva renovada sobre as artes marciais. Tradicional, uma das mais antigas escolas de jujútsu do Japão, cuja fundação datava de meados do século XVII e que teve entre seus grandes cernes a escola Yagyu e o mestre zen Takuan, Kano encontrou no novo dojo uma essência mais filosófica e menos pragmática do que na Tenshin Shin'yo Ryu.

Outra diferença entre as escolas era a ênfase que a Kito Ryu dava às técnicas de arremesso, o nage-waza, em detrimento das demais técnicas. Isso porque a Kito nascera entre os samurais e se destinava a desenvolver golpes a serem aplicados entre homens que usassem armadura. Diferentemente do mestre anterior de

---

[11] Treino livre.

[12] Arranjo predefinido de golpes em simulação de combate, geralmente, contra um adversário.

Kano, Iikubo, apesar de ter mais de 50 anos, ainda praticava randori com seus jovens alunos, vencendo-os na maioria das vezes. Sobre seus mestres, Kano teria escrito: "Do mestre Fukuda, aprendi o que o trabalho da minha vida ia ser; do mestre Masamoto, aprendi a natureza sutil do kata; e do mestre Iikubo, aprendi técnicas variadas e a importância do *timing*, o senso de tempo". (STEVENS, 2007, p. 21.)

Judô Kodokan

O voraz praticante de jujútsu Jigoro Kano, contudo, não perdia o apetite pelo universo acadêmico. Durante as madrugadas, mergulhava nos estudos, e foi durante as aulas de filosofia ocidental com o professor Ernest Francisco Fenollosa — dos 39 professores da Universidade de Tóquio, na época, 27 eram estrangeiros — que Kano começou a amadurecer a ideia de que o Japão não podia, em seu processo de modernização, romper com seu passado. Devia, assim, conciliá-lo com a nova realidade, sobretudo por meio das belas-artes, o que incluía as artes marciais. Apesar de professor de filosofia ocidental, Fenollosa era um amante da tradição japonesa. O fato é que Fenollosa e o professor de filosofia hindu da Universidade de Tóquio, o monge zen Tanzan Hara, exerceram grande influência sobre o futuro de Jigoro Kano.

Um ano após concluir a faculdade em 1881, Kano, que morava com o pai, mudou-se para um pequeno templo budista em Tóquio e, em fevereiro de 1882, com apenas 22 anos de idade, fundou mais do que um novo modelo de arte marcial, com técnicas do jiu-jítsu aprimoradas e outras inventadas por ele próprio. Jigoro Kano fundou o judô, que, além de priorizar a educação física, com método mais pedagógico e com menor risco de acidentes, propunha uma arte marcial que serviria de caminho ou princípio de conduta para os homens, com a intenção de fazê-los mais conhecedores de sua própria natureza, e, a partir daí, contribuírem para a construção de uma sociedade mais harmoniosa. Os valores e princípios concernentes ao judô não eram fruto apenas da maneira pela qual Kano enxergava a vida, mas heranças que o mestre Kano absorveu do Japão antigo, com valores e princípios cultivados pelos samurais, aliáveis aos novos tempos, e que as artes marciais, em descrédito na ocasião, haviam perdido.

A criação de uma nova arte marcial que se propunha a reformar o jujútsu, alinhando-o às demandas modernas, exigia também uma escola, a qual Kano batizou de Kodokan, cujo significado é Instituto para o Estudo do Caminho. Vale lembrar que, apesar do caráter reformista, a palavra judô — ou judo como se grafa internacionalmente — não era algo novo. "A palavra judô é muito usada hoje em dia, mas quase não era ouvida antes da Era Meiji. Não que ela nunca tenha existido — em Izumo havia um estilo de jiu-jítsu, chamado Chokushin Ryu, que os praticantes chamavam de judô Chokushin Ryu." (KANO, 2008, p. 20.)

"No início, Kano e seu punhado de alunos (nove foram oficialmente matriculados naquele primeiro ano) praticavam em um canto do salão do templo principal" (STEVENS, 2007, p. 23), mas, ainda no primeiro ano de existência do Kodokan, uma sala contígua ao templo, com capacidade para 12 esteiras, foi construída. Kano não se incumbia das aulas sozinho. Duas ou três vezes por semana, Iikubo ia ao Kodokan dar instruções aos pupilos de seu pupilo. Essas visitas passaram a ser ainda mais necessárias quando Kano passou, em agosto de 1882, a ser professor em tempo integral na Gakushuin, a escola da aristocracia japonesa, lançando-se de uma vez por todas na carreira de educador profissional, o que contribuiu, e muito, para a respeitabilidade do judô, para a sua disseminação e, sobretudo, para sua manutenção, já que os alunos treinavam no Kodokan de graça e, para mantê-lo, Kano precisava tirar dinheiro do próprio bolso.

Muitos dos primeiros alunos do Kodokan vieram da Gakushuin, e Jigoro Kano fez questão de hospedá-los no templo e deixá-los sob o encargo do instituto, ou seja, dele mesmo. Em troca, viviam uma rigorosa rotina de treinos, estudos e trabalhos. O dia dos judocas começava às 4h45 e se encerrava às 21 horas. Os discípulos de Kano estudavam, além de judô, filosofia, ciência política, economia e psicologia. Os trabalhos realizados consistiam, sobretudo, na limpeza e consertos necessários das instalações utilizadas.

Em 1883, Kano mudou de residência duas vezes, e depois mudou de novo em 1884. Mais uma mudança ele realizaria em 1884. Dois anos depois, mudou outra vez, e, em 1889, foi a vez da quinta mudança. Em geral, essas trocas de residência também significavam a ampliação do dojo, já que ano após ano o judô Kodokan ganhava projeção no Japão, não apenas no universo dos praticantes de artes marciais, o que aumentava o número de alunos, em um primeiro momento de forma tímida, mas não demoraria a chegar o dia em que a procura pela escola de Kano seria tão intensa como o fluxo de água de uma represa que arrebenta.

Naqueles primeiros dias, contudo, os alunos do Kodokan eram, em sua maioria, alunos de Kano na Gakushuin. Entre eles, Kano encontraria um de seus mais fiéis escudeiros e empenhados judocas: Tsunejiro Tomita. Sempre à disposição do mestre, fosse para receber os golpes que Kano desenvolvia ou para ajudá-lo em questões burocráticas, Tomita se tornaria uma das colunas de sustentação do Kodokan, seria um dos "ases" do instituto, tanto por aprender com facilidade as técnicas quanto por praticar os valores e princípios éticos defendidos pela escola.

A conquista do Japão

Aos que se interessam pela gênese do Kodokan, existe um romance chamado *Sanshiro Sugata*, que se tornou filme pelas mãos do cineasta Akira Kurosawa e cujo valor histórico não pode ser desprezado. Nele, Tsuneo Tomita — o sobrenome não é mera coincidência: Tsuneo é filho de Tsunejiro e, como o pai, também era judoca — narra o que se convencionou chamar de a "saga do judô" para mostrar o esforço de um mestre e seus discípulos no sentido de consolidar um novo modelo de arte marcial em um Japão onde as tais artes já não têm o valor que obtiveram poucos anos antes.

A grande fonte de inspiração do romance do filho de Tomita foi o segundo "ás" do Kodokan, Shiro Saigo (ao todo, seriam quatro ases: Yoshiaki Yamashita e Sakujiro Yokoyama completariam o quarteto). Shiro Saigo, o verdadeiro Sanshiro Sugata, diferentemente de Tsunejiro Tomita, não era um filho da aristocracia japonesa. Nascido em Aizuwakamatsu, cidade situada bem ao norte de Tóquio, em 4 de fevereiro de 1866, Saigo era filho de um samurai local, Shida Sadajiro. Como ocorrera com a maior parte dos samurais, a Reestruturação Meiji não fora generosa com sua família. Em 1882, Saigo, então com 16 anos, mudou-se para Tóquio já com a intenção de viver no universo das artes marciais, servindo em algum dojo de jiu-jítsu. Encontrou o Kodokan e logo se tornou um dos mais notáveis judocas em todos os tempos.

"Shiro Saigo — que, antes de se juntar ao Kodokan, havia recebido treinamento nas técnicas secretas oshi-uchi, dos samurais Aizu — foi um aluno que aprendeu rapidamente a como se opor aos arremessos de seu professor. Por isso, Kano era forçado a refinar continuamente as técnicas do Kodokan." (STEVENS, J. São Paulo: Cultrix, 2007, p. 26.) O fato é que, ao surgir, o judô foi visto pela maior parte dos mestres de jujútsu como um inimigo da tradicional arte marcial, mas, na realidade, era o contrário. Mestre Kano reformara o jiu-jítsu com intuito de deixá-lo vivo, de adaptá-lo aos valores ocidentais que inundavam o Japão como um tsunami e, em regra, faziam com que os próprios japoneses rotulassem as artes marciais como atitudes de bárbaros e atrasados.

Nos quatro primeiros anos de sua história, o número de praticantes do judô Kodokan aumentava. Em 1885 havia 54 alunos matriculados — até mesmo alguns estrangeiros começaram a solicitar instrução — e, no ano seguinte, pouco mais de 90. Mas um acontecimento provaria que a instituição poderia e teria muito mais alunos. (STEVENS, J, 2007, p. 26.) Ainda em 1886, os judocas do Kodokan, mais precisamente os quatros ases — Tomita, Saigo, Yamashita e Yokoyama —, entraram no torneio realizado pela Agência Nacional de Polícia, por meio do qual se definia que escola de jujutsu instruiria os policiais japoneses. "Naquela época, os instrutores da academia de polícia eram escolhidos anualmente em disputa entre as melhores escolas de luta. Esta glória era o prêmio mais cobiçado, principalmente pelo *status* que proporcionava aos vencedores."[13]

Os judocas se saíram vencedores na maioria das lutas. Não se sabe ao certo quão incisiva foi a superioridade dos lutadores do Kodokan — alguns relatos dão conta de que todas as lutas foram vencidas pelos judocas, outros apregoam que algumas terminaram empatadas. Mas não há dúvidas de que o grande destaque do torneio, o jovem Saigo, escolhido para enfrentar os principais lutadores das outras escolas de jujutsu, venceu todos de forma magistral. Na oportunidade, Saigo teria também consagrado o golpe criado por ele próprio: o yama-arashi, que quer dizer "tempestade da montanha", com foto e descrições neste livro. Suas vitórias teriam sido magistrais, sobretudo porque, assim como seu mestre, Saigo era bastante franzino, tinha por volta de 1m65 e menos de 60 quilos, enquanto seus adversários, em geral, deviam ter entre 1m71 e 1m80, além de serem fortes, especialmente para o biótipo padrão dos japoneses.

Os feitos de Saigo e companhia ganharam voz e se propagaram por todo o país. Em pouco tempo, o judô devolvia à arte marcial a estima que já tivera dos japoneses. Além de defender valores realmente edificantes, o judô Kodokan mostrava-se efetivo do ponto de vista da luta. Ao longo desse período, muitas escolas desafiaram os discípulos de Kano, para testar a eficácia da arte. Na maior parte das oportunidades, os jovens do Kodokan se saíram vencedores.

Kano não era contra desafios nem exibições, desde que seus propósitos fossem construtivos; desde que se destinassem ao estudo, ao desenvolvimento de técnicas mais efetivas para as artes marciais envolvidas no evento. Mas era inteiramente contra os desafios que se destinavam unicamente a testar qual técnica era melhor ou, o que seria ainda pior a seu ver, que almejavam a obtenção de lucros. São quatro as normas basilares do Kodokan, instituídas por Kano.

1. Se for admitido no Kodokan, prometo não ensinar nem divulgar os conhecimentos da arte que me será ensinada, salvo com autorização de meus mestres.

2. Não farei demonstrações públicas com o fim de obter lucros.

3. Minha conduta não poderá ser vista de forma a comprometer ou desacreditar o Kodokan.

4. Não abusarei nem farei uso indevido dos conhecimentos que vier a ter.[14]

O certo é que, para Kano, o judô não podia ser comparado com outra luta, e outras lutas também não seriam equiparáveis entre si. A disputa pela instrução da Agência Nacional de Polícia teve a anuência de Kano porque não ia contra suas regras estabelecidas e, na época, o judô precisava conquistar o respeito das demais academias de jujutsu para um dia unificá-las, uma estratégia que foi muito bem-sucedida. Logo, muitas escolas de jujutsu aderiram ao judô. A obra do mestre Kano ganhou o Japão e, em 1889, o Kodokan tinha mais de 1,5 mil alunos e estava pronto para alçar voos mais altos. Se pouco mais de 30 anos depois de o ocidente ter aportado em território japonês, influenciando a cultura do povo nativo, o Japão agora tinha sua contrapartida, algo que levaria ao resto do mundo a cultura nipônica.

---

[13] VIRGÍLIO, 1994, p.4.

[14] VIRGÍLIO, 1994, p. 37.

Os valores acima dos mitos

O judô Kodokan tornava-se proeminente no cenário das artes marciais japonesas e restituía sua dignidade aos olhos do grande público, sendo cada vez mais reconhecido como fonte de educação, mais do que mera preparação de lutadores. Assim, em 1889, Kano foi convidado pelo Ministério da Casa Imperial para uma longa viagem de inspeção a instituições educacionais na Europa. Dessa forma, Kano se viu obrigado a renunciar ao posto na Gakushuin e deixar os ensinamentos no Kodokan sob a responsabilidade de seus mais graduados discípulos: Saigo e Tomita.

Mestre Kano zarpou do litoral japonês com um funcionário da agência no dia 15 de setembro de 1889 para uma viagem que duraria quase um ano e meio. O fundador do judô passaria por algumas cidades de países como França, Bélgica, Dinamarca, Holanda, Suécia, Alemanha, Áustria e Inglaterra inspecionando educandários. Ao longo dessa jornada, Kano colheria informações importantes para viabilizar a expansão do judô para além do território japonês, embora esse processo, naturalmente, não pudesse ser controlado, ao menos não inteiramente, por Kano, como se verificaria.

Contudo, ao retornar da viagem, em janeiro de 1891, mesmo ano em que se casou com Sumako Takezoe, com quem teve oito filhos, Kano se deparou com situação extremamente constrangedora, que o levou a uma decisão difícil, que preferiria não tomar. Kano descobriu que, durante a sua ausência, Saigo participara de uma briga com praticantes de sumô. Os lutadores, que se confrontavam na rua, foram parar na delegacia, e Saigo agrediu vários policiais, o que resultou em sua detenção. Tomita conseguiu tirar o companheiro da cadeia, mas quando Kano soube do ocorrido, expulsou Saigo do Kodokan. Afinal, ele havia infringido duas das normas do instituto: "minha conduta não poderá ser vista de forma a comprometer ou desacreditar o Kodokan" e "não abusarei nem farei uso indevido dos conhecimentos que vier a ter".

Depois do ocorrido, Saigo mudou-se para a longínqua Nagazaki e abandonou por completo o judô e o jujutsu. Tornou-se executivo de uma empresa, função para a qual os estudos no Kodokan contribuíram bastante, e passou a dedicar-se ao kyojutsu (arte do arco e flecha), no que também se tornou mestre (hanchi, em japonês). Em 1922, com apenas 56 anos, Saigo faleceu. Jigoro Kano, então, mostrando que nutria um grande apreço pelo seu antigo discípulo, prestou-lhe uma última homenagem: concedeu-lhe, postumamente, o sexto dan (sexto grau) de judô.

Além das Ilhas

Após retornar ao Japão, o mestre Kano deu sequência à sua carreira como educador formal, expandindo também a prática do judô pelo território japonês. Foi diretor de importantes escolas em diferentes regiões do Japão até retornar à capital, como diretor da Escola Normal Superior de Tóquio. Para onde ia, procurava implantar o judô como disciplina e, em artigos acadêmicos, defendia o valor pedagógico da arte marcial. A ascensão profissional de Kano seguia na mesma proporção do judô, mas pouco tempo lhe sobrava para o treino, em virtude dos compromissos como líder do Kodokan, diretor da escola e, a partir de 1909, como primeiro e principal delegado japonês do Comitê Olímpico Internacional (COI).

O fato é que em fins da década de 1890 e início do primeiro decênio do século XX, a Kodokan passou a receber um grande número de visitantes estrangeiros. Em 1903, um industrial estadunidense (STEVENS, 2007, p. 37), Samuel Hill, convidou Yoshiaki Yamashita para ensinar judô a seu filho nos Estados Unidos. Yamashita — que, além de ser um dos primeiros alunos de Kano e um dos quatro ases, tinha em seu currículo a impressionante marca de 9.617 lutas em um único ano — aceitou, mas, quando chegou à América do Norte, viu seu anfitrião experimentar uma saia justa com a esposa, que se opusera incondicionalmente à proposta de ensinarem a seu filho algo que ela tachava de "violento e primitivo". Empresário influente, Hill deu um jeito de consertar a situação e conseguiu agendar um encontro entre Yamashita e o presidente da mais próspera nação do novo continente, Theodore Roosevelt. Uma luta foi marcada com um norte-americano bem maior que Yamashita, o que não era difícil, já que ele media 1m63 e tinha 68 quilos. Yamashita derrubou-o inúmeras vezes e Roosevelt ficou impressionado[15].

Dali em diante, de forma bastante ordenada e fiel aos princípios estabelecidos por Jigoro Kano, o judô passou a desenvolver-se nos Estados Unidos, onde seu mais ilustre praticante era ninguém mais ninguém menos que o presidente da nação. Além dele, sua filha também aprenderia judô. Mais tarde, além de Yamashita, outros membros do Kodokan iriam para os Estados Unidos, entre os quais o veterano Tomita e o jovem talentoso Mitsuyo Maeda, que, mais tarde, financiado por empresários japoneses, ajudaria a difundir a arte marcial japonesa para a América Latina, chegando ao Brasil em 1914, trazendo o judô para Manaus e depois para Belém, capital do Pará.

Aliás, foi em 1914 também que o judô chegou à Rússia, atracando na cidade do extremo oriente do país, Vladivostok, cuja importância militar e comercial desde que fora conquistada era inestimável para os russos[16]. Sem dúvida, a proximidade do Japão facilitou sua chegada à Rússia — Vladivostok fica no mar japonês, na porção continental da Ásia, quase na divisa com a China —, que se deu pelas mãos de Vasily Oshchepkov, estudante do Kodokan alguns anos antes.

Este parágrafo é importante porque, na Rússia, o judô se desenvolveria de maneira diversa do crescimento que teve na maioria dos outros países. Durante o período stalinista, em virtude de

Foto rara de Yamashita derrubando seu oponente durante exibição de judô para Theodore Roosevelt, nos Estados Unidos.

desavenças diplomáticas, Japão e Rússia cortaram relações, e Stalin decidiu proibir a prática do esporte nipônico em território soviético. O verbo proibir vem entre aspas porque na realidade a arte marcial continuou a ser praticada, mas sob o nome de sambô. É verdade que o sambô não se restringiu às técnicas do judô, buscando em lutas típicas das ex-repúblicas soviéticas elementos que não existiam na arte nipônica, o que conferiria ao judô soviético um estilo único, capaz de fazer da Rússia e das ex-repúblicas soviéticas potências do esporte, com bons resultados em Olimpíadas.

---

[15] STEVENS, 2007.

[16] MOSHANOV, 2004.

Se o judô chegou puro à Rússia e se transformou com o passar dos anos, na Europa Ocidental foi diferente. Da maneira como fora concebido por Jigoro Kano, o judô demorou um pouco mais para chegar ao velho continente. Antes, porém, o francês Guy de Montgaillard, em 1905, começou a lecionar o que chamava de judô, mas, na realidade, trazia apenas alguns aspectos da arte marcial nipônica, já que as técnicas não eram reproduzidas como foram concebidas e os valores tão fundamentais nem sempre eram contemplados. Pode-se dizer que Montgaillard ensinava uma espécie de jujutsu, o que não fazia dele pioneiro na Europa, já que, desde 1899, Yukio Tani, emigrado para a capital inglesa, Londres, levara consigo seu conhecimento da arte marcial.

O mesmo Tani seria de suma importância para a implantação do verdadeiro judô na Europa Ocidental, a partir da Inglaterra, 21 anos mais tarde, na ocasião de uma das inúmeras visitas de Kano à Grã-Bretanha. Isso porque em 1920, o fundador do judô e um de seus promissores discípulos, Hikoichi Aida, foram ao país para promover o judô Kodokan. Enquanto Kano seguiu mais um de seus périplos pelos países do ocidente para depois retornar ao Japão (consta que Kano fez 12 viagens internacionais ao longo da vida), Aida ficou em Londres por alguns anos, para desenvolver o judô na Inglaterra. Nessa tarefa, contaria com a inestimável ajuda de Tani, que, ao descobrir a nova arte marcial tão longe de seu país de origem, deslumbrou-se com a proposta de Kano e aderiu ao Kodokan e aos seus valores.

O impulso definitivo na Europa aconteceu em 1935, com a chegada de Mikonosuke Kawaiashi à França. Kawaiashi ficou por oito anos em território francês, tempo necessário para promover o ensinamento adequado do judô, com as devidas adaptações ao pensamento ocidental, sem prejuízo dos princípios e valores defendidos pelo Kodokan. Dentre as medidas adotadas por Kawaiashi, a mais famosa foi a adoção de faixas coloridas para marcar o desenvolvimento do praticante[17]; medida que posteriormente seria adotada por toda a comunidade internacional do judô. Kawaiashi teve a ideia do uso de faixas coloridas para registrar a evolução dos praticantes depois de observar que o ocidental, diferentemente do oriental, tem maior necessidade de estímulos externos para alcançar seus objetivos. Ele percebeu que os ocidentais precisam ver com clareza a superação das metas para crerem que realmente chegarão ao objetivo. Essas e outras medidas contribuíram para a propagação do judô a outros países europeus e, em um primeiro momento, também para o norte da África.

O fato é que o esporte não tardaria a ganhar terreno, mergulhando literalmente de cabeça no leste europeu e em países asiáticos onde não havia ainda aportado. Se levarmos em conta que, na época, a humanidade não dispunha de recursos tão eficazes de troca de informações, diferentemente do que ocorre hoje com a internet e mesmo com meios de comunicação remotos mais antigos, como o telefone, e que o transporte internacional de pessoas — ao menos na primeira metade do século XX — era realizado de navio ou de ttrem, essencialmente, sua propagação é impressionante. E a explicação para isso reside justamente no fato de ter sido o judô pensado por um homem cuja formação multicultural lhe permitiu conceber uma arte altamente identificada com as tradições de seu país natal e, ao mesmo tempo, eivada de valores e princípios universais; dessa forma, foi capaz de conquistar corações do oriente ao ocidente.[18]

---

[17] VIRGÍLIO, 1994, p.46.

[18] FROMM, 1982.

O legado

Desde sempre, o propósito principal do judô foi a educação, sendo, aos olhos de Jigoro Kano, uma disciplina educacional que prepararia física e mentalmente as pessoas para viverem seu dia a dia de forma íntegra, proativa, inteligente e solidária. Mas Kano nunca negou seu aspecto esportivo, embora não o julgasse sua principal finalidade. A partir do momento em que a arte ganhou a Europa, porém, o caráter esportivo adquiriu uma enorme dimensão, o que, se não era exatamente a intenção de Kano, foi essencial para garantir a rápida propagação do judô por praticamente todos os países da Terra.

Kano, que sempre enxergou no esporte um importante canal de relacionamento pacífico e edificante entre as nações, era o principal delegado japonês do COI. Seu trabalho como dirigente do comitê já dava frutos ao Japão. Sua capital, Tóquio, fora escolhida como sede das próximas Olimpíadas, que se realizariam em 1940, não tivesse eclodido, um ano antes, a Segunda Guerra Mundial. Mas em 1938, apesar de o clima na Europa já ser bastante tenso, os delegados do COI discutiam na capital egípcia, Cairo, o mês dos Jogos Olímpicos — que não aconteceram. Os europeus queriam realizar as competições em agosto de 1940, mas Kano sugeria setembro, sob alegação de que em agosto o Japão é quente e úmido demais, o que daria vantagem aos nipônicos, já acostumados com o clima.

Ao retornar da reunião para seu país, a bordo do navio Hikawamaru, Kano, aos 78 anos, adoeceu. Vítima de uma pneumonia, faleceu no dia 4 de maio de 1938.

Sua morte, porém, não significou o fim do judô Kodokan, como muitas vezes ocorria com as escolas de jujutsu, que desapareciam com o falecimento de seus grandes mestres. Isso porque Kano criou um sistema que se alicerça em valores humanos multirraciais, que encontram eco no inconsciente coletivo de todos os povos. Não por acaso, o judô passou a contar com federações regionais em quase todos os continentes do globo em curto espaço de tempo. Em 1948, foi criada a primeira delas, a União Europeia de Judô. Dois anos mais tarde, surgiria a Federação Internacional de Judô (FIJ), cujo primeiro presidente seria Risei Kano, filho de Jigoro Kano. "Antes, em 1949, já havia sido fundada a União Asiática de Judô. A União Pan-Americana de Judô veio em 1952, a União Oceânica de Judô em 1958 e, finalmente, em 1963, surgiu a União Africana de Judô." (VIRGÍLIO, 1994, p. 46) De lá para cá, a única que mudou de nome foi a União Pan-Americana de Judô, que passou a ser chamada de Confederação Pan-Americana de Judô.

Com tal nível organizacional e seu inegável caráter universal, com um número crescente de praticantes em todos os continentes do planeta, o judô estreou como esporte olímpico, a princípio de forma provisória, em 1964, em Tóquio — onde, pela primeira vez, as disputas no judô foram estabelecidas por categorias, com base no peso dos praticantes —, mas retornou definitivamente em 1972 nas Olimpíadas de Munique. A partir daí, foram 11 Jogos com a participação do judô, e muitos outros hão de vir.

O fato é que o judô ganha mais adeptos a cada dia. Só no Brasil, há 2 milhões de praticantes. No Japão, esse número é seguramente bem maior. Eventos, como os Jogos Olímpicos colaboram e muito, para sua propagação. Porém, de nada valerá a expansão da arte marcial se as bases conceituais e os valores sobre os quais o judô foi erigido não forem preservados. Há mais de 127 anos, quando o judô foi concebido, Kano queria que fosse um presente do Japão ao mundo, um presente capaz de melhorar os indivíduos para que se pudesse melhorar o todo. Aquele que enveredar pelo suave caminho de vida do judô deve ter sempre isso em mente.

CAPÍTULO 3

KATA

Kata é uma palavra com inúmeros significados na língua nipônica, mas aqui, especificamente, quer dizer "forma". A ideia essencial do kata é preservar a forma original das técnicas do judô. Por meio de sua prática, o judoca é conduzido à excelência técnica e aos primórdios da arte marcial, já que, em muitos casos, o kata simula situações de combate real, muito comuns no Japão antigo.

É comum também encontrarmos atemi-waza, que são técnicas de impacto, como socos, chutes, cotoveladas e joelhadas. Esse grupo de golpes pouco usado no judô, mas predominante em outras escolas de artes marciais, como o caratê, constituía, assim como ossae-waza e nage-waza, a base do jujutsu, termo pelo qual os Samurais designavam todas as técnicas de luta sem uso de armas.

Ao todo são sete kata oficialmente aceitos pelo Instituto Kodokan de Judô, os quais o leitor terá oportunidade de conhecer em detalhes (no início de cada kata há uma breve introdução e o seu significado).

- Nage-no-kata.
- Katame-no-kata.
- Kime-no-kata.
- Ju-no-kata.
- Kodokan-goshin-jutsu.
- Koshiki-no-kata.
- Itsutsu-no-kata.

A disciplina, o treino exaustivo e a máxima atenção aos detalhes são imprescindíveis aos que desejam fazer corretamente os kata. Por isso, o domínio do corpo, tanto de quem projeta o oponente (tori) quanto de quem é projetado (uke), é indispensável. Os kata são um exercício indispensável ao judoca, não apenas porque o coloca em contato com a raiz técnica da arte e o aprimora para outras práticas inerentes ao judô, mas porque o leva a desenvolver atributos úteis ao dia a dia, como disciplina, dedicação e concentração.

Vale observar que, durante muitos anos, os kata eram pouco conhecidos e pouco valorizados fora do Japão. Há menos de duas décadas, contudo, praticantes do mundo inteiro os "descobriram" e passaram a praticá-los. Mestre Chiaki Ishii, um dos maiores lutadores a representar o Brasil em Olimpíadas, disse que os kata permitem aos judocas praticar o judô até a velhice.

Talvez a vontade de praticar judô por toda a vida tenha feito com que os praticantes do mundo todo tenham buscado os kata, e o resultado disso é que seu nascimento em escala global ganhou tal vulto, tanto que competições internacionais são anualmente realizadas pelo menos desde 1999, quando se deu o primeiro campeonato mundial de kata, organizado pela World Masters Judo Association — que se pode traduzir como Associação Mundial de Judô de Veteranos —, em Welland, Canadá.

Entre os países que mais se destacam nas competições de kata está o Brasil. Desde as disputas inaugurais, o País obtém bons resultados, muito em função da dupla formada por Rioiti Uchida e Luiz Alberto dos Santos. As primeiras medalhas vieram 2001, em Phoenix (EUA). Até hoje, pelos campeonatos mundiais de kata organizados pela World Master Judo Association, o Brasil conquistou mais de quarenta medalhas, boa parte de ouro. A imensa maioria foi conquistada pela dupla citada. (Veja lista de conquistas em mundiais de Uchida e Santos).

Além de competições mundiais, muitos torneios abertos de kata são realizados. Pelo menos é assim na Europa, onde cada vez mais são realizados torneios abertos de kata que congregam atletas de todo o mundo. Nas Américas, o que inclui o Brasil, não há esses torneios abertos, mas apenas competições nacionais, continentais e intercontinentais.

Desde 2009, a Federação Internacional de Judô (FIJ) passou a organizar torneios mundiais de kata, e a tendência é que o mundial organizado pela World Masters Judo Association passe a ser um importante torneio aberto de kata e que o mundial organizado pela FIJ se torne o único com tal *status*.

Nos dois torneios mundiais organizados pela FIJ, em 2009 e 2010, o Brasil não obteve êxito, embora tenha marcado presença. Pelo empenho dedicado pelos atletas brasileiros à prática de kata e pelos resultados alcançados nos mundiais da World Masters, não é improvável que em breve o País conquiste sua primeira medalha em mundiais organizados pela FIJ.

Rioiti Uchida e Luiz Alberto dos Santos em Mundiais de Kata da World Masters Judo Association

2001 — Phoenix/EUA

Ouro: Nage-no-kata

Ouro: Kime-no-kata

Prata: Katame-no-kata

Bronze: Ju-no-kata

2003 — Tóquio/Japão

Ouro: Nage-no-kata

Ouro: Ju-no-kata

Bronze: Katame-no-kata

Prêmio de Kata: Grand Champion

2002 — Londonderry/Irlanda do Norte

Ouro: Ju-no-kata

Ouro: Katame-no-kata

Ouro: Kodokan-goshin-jitsu

Bronze: Nage-no-kata

Bronze: Kime-no-kata

Bronze: Koshiki-no-kata

Prêmio de Kata: Grand Champion

2004 — Viena/Áustria

Ouro: Nage-no-kata

Ouro: Koshiki-no-kata

Ouro: Ju-no-kata

2005 — Toronto/Canadá

Ouro: Koshiki-no-kata

Bronze: Ju-no-kata

KATA 31

2006 — Tours/França

Ouro: Nage-no-kata
Ouro: Koshiki-no-kata
Prata: Ju-no-kata

2007 — São Paulo/Brasil

Ouro: Nage-no-kata
Ouro: Katame-no-kata
Prata: Koshiki-no-kata

A dupla Rioiti Uchida e Luiz Alberto em campeonato.

Logotipos da World Masters Championship e International Judo Federation.

CAPÍTULO 4

MOVIMENTOS BÁSICOS DO JUDÔ

Neste capítulo, traremos ao leitor os movimentos básicos do judô — exceto os golpes dos quais trataremos em capítulos específicos —, incluindo a maneira apropriada de amarrar a faixa ao quimono. Lembramos que todos esses procedimentos foram pensados de forma cuidadosa e têm uma razão prática.

Faixa

Amarrar uma faixa corretamente não é tão fácil quanto parece no primeiro momento, aos olhos de um leigo. É necessário amarrá-la de forma que não se duplique nas costas nem na frente sob o nó, que é simples e feito apenas uma vez.

1 — Abra a parte esquerda do wagi (jaqueta do judogi) e feche a direita envolvendo o abdômen.

2 — Feche a parte esquerda do wagi sobre a direita.

3 — Coloque o centro da faixa no centro do abdômen, pouco acima da cintura.

4 — Leve as extremidades da faixa às costas.

5 — Cruze os diferentes lados da faixa, sobrepondo um ao outro de forma simétrica.

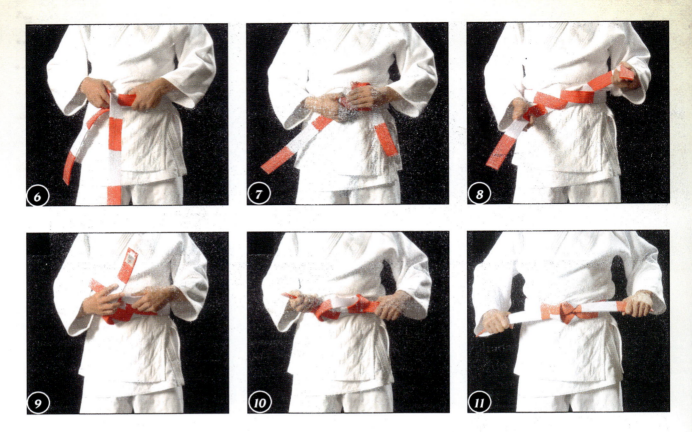

6 — Traga as extremidades da faixa para a frente e coloque o lado esquerdo sob o seu centro.

7 e 8 — Passe o lado direito da faixa por baixo dos dois gomos formados pelo lado esquerdo e a parte central da faixa.

9, 10 e 11 — Realize o nó, de forma simples.

Postura

As posturas básicas do judô, de forma bastante simples e condensada, ilustram com muita propriedade alguns dos principais valores da arte marcial e da cultura japonesa. Equilíbrio, flexibilidade e força são alguns dos atributos físicos e humanos conferidos ao judoca que lança mão da postura adequada, constituindo-se pré-requisitos para a prática de um bom judô e caminho para uma vida satisfatória.

1 — **Chokuritsu**

Alinhe a cabeça conforme a direção do olhar, frontal, como em busca do horizonte. O tronco deve estar ereto e os braços estendidos para baixo. Espalme as mãos nas laterais externas das coxas, com as pontas dos dedos voltadas ao solo. Una os calcanhares e forme com os pés um ângulo de aproximadamente 45 graus.

2 — **Shizen hontai** (posição natural fundamental)

A partir do chokuritsu, avance a perna esquerda, depois a perna direita, deixando os pés paralelos, um em relação ao outro e na mesma linha dos ombros. Como a tradução revela, essa é a posição base para as demais posições de combate. Por meio dela, o judoca dispõe de maior equilíbrio e mobilidade.

3 — **Migi shizen-tai**

A partir de shizen hontai, avance a perna direita para a frente, mantendo ambos os pés alinhados com os ombros. Migi significa direita, e o migi shizen-tai é uma postura básica de luta para os destros.

4 — Hidari shizen-tai

Realize o mesmo processo da postura anterior. Contudo, em vez de avançar a perna direita, avance a perna esquerda. Hidari significa esquerda, e o hidari shizen-tai é uma postura básica de luta para os canhotos.

5 — Jigo hontai (postura natural defensiva)

Afaste a perna esquerda e depois a direita, coloque as mãos na parte interna da coxa, mantenha o tronco ereto e volte as pontas de ambos os pés, diagonalmente, para fora.

6 — Migi jigo-tai

A partir de jigo hontai, avance um pouco, por volta de um pé de distância, a perna direita.

7 — Hidari jigo-tai

Realize o mesmo processo da postura anterior, mas, em vez de avançar a perna direita, adiante a perna esquerda.

Saudações

Como no caso das posturas, as saudações trazem muito dos princípios do judô em suas formas. Gratidão, respeito e fraternidade são alguns dos valores subjacentes aos gestos das saudações, que não são muitas — duas apenas —, embora bastante significativas.

> A partir daqui, no uso de imagens que ilustram os movimentos característicos do judô, usaremos alguns recursos, como a tomada das imagens por ângulos diferentes, para facilitar a viualização do leitor. Nos casos em que houver mais de um ângulo para o mesmo movimento, usaremos aletramento (A, B, etc.) como complemento à numeração.

Ritsu-rei

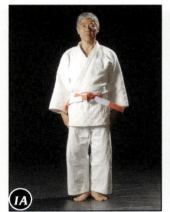  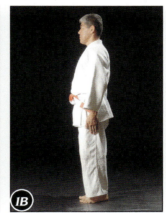 

1A e 1B — A partir de chokuritsu.

2A e 2B — Incline o tronco para a frente sem alterar a direção do olhar. Durante a inclinação, as palmas das mãos escorrerão suavemente das laterais para a parte frontal das coxas.

Za-rei

1A e 1B — A partir de chokuritsu.

2A e 2B — Com o olhar para a frente, a cabeça firme e alinhada, dobre a perna esquerda e apoie o joelho no solo, mantendo o calcanhar levantado e as mãos nas laterais das coxas.

3A e 3B — Dobre também a perna direita e apoie o joelho direito no solo, mantendo ambos os calcanhares levantados e as mãos nas laterais das coxas.

4A e 4B — Sente-se sobre os calcanhares, mantenha o tronco ereto, a cabeça erguida, o olhar para a frente e traga as mãos espalmadas à parte frontal das coxas.

5A e 5B — Incline o corpo, espalme as mãos no solo com as pontas levemente voltadas para dentro, formando uma espécie de triângulo em relação ao corpo, e abaixe a cabeça, aproximando-a do chão à distância de dois punhos.

Quedas

Cair é uma constante no judô e na vida, e reerguer-se também, o que explica o fato de a queda ser um dos aspectos mais importantes da arte marcial. Do ponto de vista técnico, é a primeira lição aprendida. É fundamental saber cair, conhecer as técnicas necessárias para evitar lesões ao ser projetado, pois só dessa maneira é possível se levantar para voltar à luta.

Ushiro-ukemi (Koho-ukemi) — sentado

Ushiro quer dizer "atrás" e ukemi, "queda": queda para trás. Ukemi também significa "proteção para o corpo".

1A e 1B — Olhe para a frente, mantenha a cabeça alinhada e os braços estendidos também para a frente, na altura dos ombros, e o tronco ereto, formando ângulo de 90° em relação aos braços e às pernas, que também devem estar estendidas frontalmente.

2A e 2B — Caia de costas, levando o queixo para perto do peito, de modo a impedir que a nuca se choque contra o tatame.

3A e 3B — Simultaneamente ao instante em que as costas tocam o chão, bata com as mãos espalmadas e os braços estendidos no solo, formando um ângulo de aproximadamente 45° entre cada um deles e o tronco. As pernas ficam estendidas para cima.

4A e 4B — Após bater com as palmas das mãos no solo, recolha-as. Esse movimento serve para amortecer o impacto da queda.

Ushiro-ukemi (Koho-ukemi) — em pé

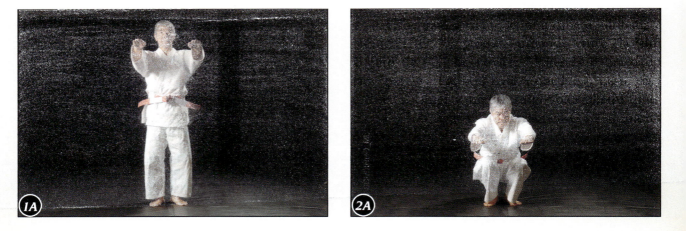

1A e 1B — Mantenha os olhos fixos para a frente e os braços estendidos na altura dos ombros.

2A e 2B — Dobre ambos os joelhos, mas mantenha o olhar para a frente, na mesma direção em que se estendem os braços.

MOVIMENTOS BÁSICOS DO JUDÔ 43

3A e 3B — Caia de costas, levando o queixo para perto do peito, protegendo a nuca.

4A e 4B — Simultaneamente ao instante em que as costas tocam o tatame, bata com as mãos espalmadas e os braços estendidos no solo, formando entre cada um deles e o tronco um ângulo de aproximadamente 45°. As pernas terminam o movimento estendidas para cima.

5A e 5B — Imediatamente após bater com as palmas das mãos no solo, recolha-as. Esse movimento serve para amortecer o impacto da queda.

Erro

Em hipótese alguma, caia com o pescoço relaxado, sem trazer o queixo para perto do peito. Sua nuca pode se chocar contra o solo e provocar forte trauma.

Yoko-ukemi (Sokuho-ukemi) — sentado

Yoko significa "lado" e ukemi, "queda": queda de lado. Ukemi também quer dizer "proteção para o corpo".

1 — Olhe para a frente, com a cabeça alinhada e erguida. Abra as pernas formando entre elas um ângulo de 90°, se possível. Estenda o braço do lado para o qual será feita a queda — neste caso o direito, "migi" (migui): **migi-yoko-ukemi** (queda do lado direito) —, lateralmente, na altura do ombro e paralelo à perna. O outro braço deve ficar junto ao corpo, sem jamais denotar displicência.

2 — Leve a perna direita para junto da esquerda, com o braço direito acompanhando seu movimento.

3 — Caia para trás, levemente penso à direita.

4 — No mesmo instante em que as costas tocarem o solo, bata com a palma da mão direita, preservando o braço estendido.

5 — Recolha o braço direito logo depois de a mão tocar o solo.

Yoko-ukemi (Sokuho-ukemi) — em pé

1 — A partir de shizen-hontai, olhe para a frente, com a cabeça alinhada e erguida. Estenda o braço do lado para o qual será feita a queda — **migi-yoko-ukemi** —, lateralmente, na altura do ombro. O outro braço deve ficar junto ao corpo, sem jamais denotar displicência.

2 — Gire sobre o pé esquerdo para o lado esquerdo, movendo a perna direita, de modo a preservá-la em paralelo à esquerda, e o braço direito, de maneira a mantê-lo estendido à frente dos seus olhos.

3 — Dobre os joelhos.

4 — Caia para trás e, no mesmo instante em que as costas tocarem o solo, bata com a palma da mão direita também no tatame.

5 — Recolha o braço direito imediatamente depois de a mão tocar o solo.

Hidari-yoko-ukemi (queda do lado esquerdo): proceda da mesma maneira que no caso anterior, mas inverta os braços e as pernas movimentados e também o lado da queda.

Mae-mawari-ukemi (Zenpo-kaiten-ukemi)

Rolamento.

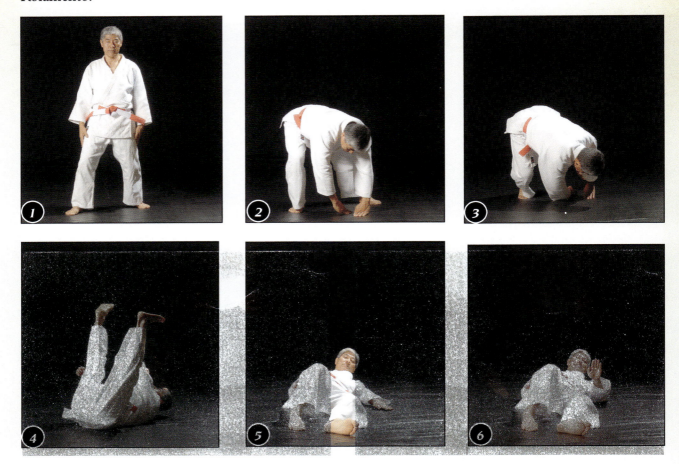

1 — A partir de shizen-hontai, avance a perna direita — migi-mawari-ukemi (rolamento à direita) — mantendo as mãos espalmadas nas laterais das coxas.

2 — Curve o tronco; apoie as duas mãos no chão, com as pontas voltadas para dentro; olhe na direção das mãos; coloque o braço direito entre o esquerdo e as pernas, formando um arco por meio do cotovelo ligeiramente flexionado, e a mão esquerda, um pouco mais para a frente, formando um triângulo em relação aos pés.

3 e 4 — Role sobre o braço direito, de modo a proteger a cabeça.

5 — Bata no solo, simultaneamente, a palma da mão esquerda, a sola do pé direito e a lateral da perna esquerda.

6 — Recolha o braço esquerdo assim que tocar o solo.

Hidari-mae-mawari-ukemi (rolamento à esquerda): proceda da mesma forma que no movimento descrito anteriormente, mas inverta a posição dos braços e pernas. Comece avançando a perna esquerda.

Erro 1

Avançar a perna direita e rolar para a esquerda. Nesse caso, o judoca pode bater com o ombro no tatame e sofrer uma lesão.

Erro 2

Não formar o arco com o braço direito. Dessa forma, o judoca pode bater com o ombro no chão, causando lesão.

Mae-ukemi — ajoelhado

Mae é "frente": queda frontal.

1 — De joelhos, com os calcanhares levantados, levante o braço com as mãos na altura do peito e espalmadas para a frente.

2 — Caia para a frente.

3 — Bata a mão e o antebraço no tatame, amortecendo a queda.

Mae-ukemi — em pé

1 — Em pé, levante o braço com as mãos na altura do peito e espalmadas à frente.

2 — Caia para a frente.

3 — Bata a mão e o antebraço no tatame, amortecendo a queda.

Desequilíbrios
Kuzushi

A tradução precisa de kuzushi é desequilíbrio, um dos aspectos técnicos mais importantes do judô. Ao todo, existem oito formas de desequilíbrio básicas, todas bastante simples. Sem um bom kuzushi, dificilmente a aplicação de uma técnica será eficiente. Costuma-se dizer que, para um golpe ser bom, é necessário que se cumpra com o máximo de precisão três etapas: kuzushi, tsukuri (preparação) e kake (finalização ou aplicação).

1 — Para a frente

A partir de shizen-hontai, tori e uke[1] fazem kumi-kata (forma de segurar o judogui ou pegada) de direita. Assim, a mão direita do tori segura a gola do uke, enquanto a esquerda segura a manga na altura do cotovelo. Para desequilibrar o oponente para a frente, o tori o puxa para si.

2 — Para trás

Seguindo os mesmos procedimentos do kumi-kata anterior, o tori dá um passo à frente com o pé direito e, simultaneamente, empurra para trás o uke com intensidade necessária para desequilibrá-lo.

3 — Para a direita

O Tori desequilibra o Uke para a direita com as duas mãos.

---

[1] Tori é o judoca que aplica a técnica e uke é o que a recebe.

4 — Para a esquerda
Segue o mesmo princípio do movimento anterior, agora à esquerda

5 — Para trás e para a direita
A partir de hidari-shizentai, o tori desequilibra o uke para trás e para a diagonal direita.

6 — Para trás e para a esquerda
A partir de migi-shizentai, o tori desequilibra o uke para trás e para a diagonal esquerda.

7 — Para a frente e para a direita
A partir de migi-shizentai, tori puxa o uke para a frente e para a diagonal direita.

8 — Para a frente e para a esquerda
A partir de hidari-shizentai, o tori puxa o uke para a frente e para a diagonal esquerda.

Shintai

Outro aspecto técnico bem relevante é o shintai, cuja tradução é "forma de caminhar sobre o tatame".

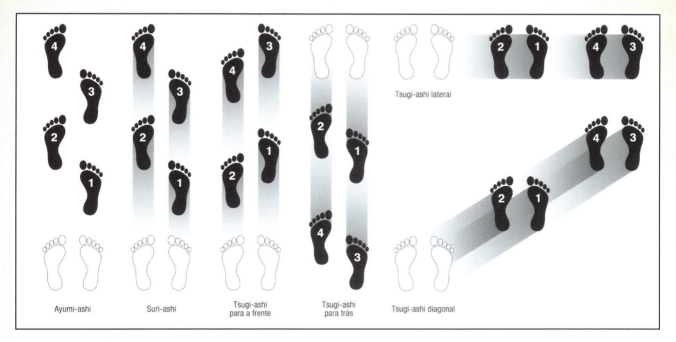

Ayumi-ashi
É o andar natural, mantendo a postura ereta.

Suri-ashi
É o andar que se faz deslizando sobre o tatame.

Tsugi-ashi para a frente
É o andar que se faz deslizando sobre o tatame, mas, neste caso, avançando a perna direita e depois a esquerda, sem que o pé esquerdo ultrapasse o direito. Inverta a movimentação das pernas para fazer o tsugi-ashi de esquerda.

Tsugi-ashi para trás
Recue a perna direita e depois a esquerda sem que o pé esquerdo ultrapasse o pé direito. Inverta a movimentação das pernas para fazer o tsugi-ashi de esquerda.

Tsugi-ashi lateral
Movimente a perna direita para a lateral direita e acompanhe com a perna esquerda, mantendo sempre uma distância, equivalente à largura dos ombros, entre os pés. Inverta a movimentação das pernas para fazer o tsugi-ashi para a lateral esquerda.

Tsugi-ashi diagonal
Movimente a perna direita para a diagonal direita e acompanhe com a perna esquerda, mantendo sempre uma distância entre os pés igual à largura dos ombros. Inverta a movimentação das pernas para fazer o tsugi-ashi para a diagonal esquerda.

Tai-sabaki

Tai-sabaki pode ser traduzido como movimentos giratórios que precisam ser executados com fluidez, rapidez e controle.

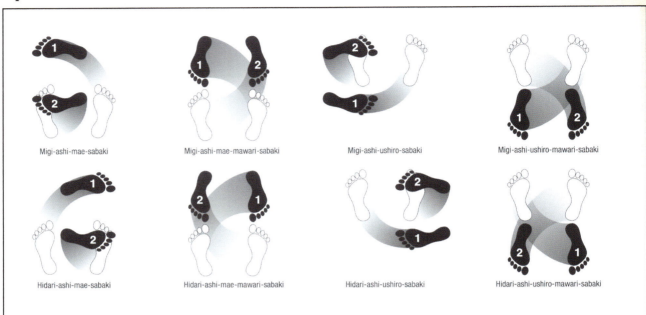

Migi-ashi-mae-sabaki
Avance o pé direito e gire, usando o pé esquerdo como pivô.

Hidari-ashi-mae-sabaki
Avance o pé esquerdo e gire, usando o pé direito como pivô.

Migi-ashi-mae-mawari-sabaki
Avance o pé direito, cruzando a frente do esquerdo, e recue o esquerdo, usando o pé direito como pivô para fazer o giro de 180°.

Hidari-ashi-mae-mawari-sabaki
Avance o pé esquerdo, cruzando a frente do direito, e recue o direito, usando o pé esquerdo como pivô, para fazer o giro de 180°.

Migi-ashi-ushiro-sabaki
Recue o pé direito e gire, usando o pé esquerdo como pivô.

Hidari-ashi-ushiro-sabaki
Recue o pé esquerdo e gire, usando o pé direito como pivô.

Migi-ashi-ushiro-mawari-sabaki
Recue o pé direito, cruzando atrás do esquerdo, e avance o esquerdo, usando o pé direito como pivô, para fazer o giro de 180°.

Hidari-ashi-ushiro-mawari-sabaki
Recue o pé esquerdo, cruzando atrás do direito, e avance o direito, usando o pé esquerdo como pivô, para fazer o giro de 180°.

CAPÍTULO 5

GOKYO

O Gokyo constitui o conjunto de golpes considerados básicos do nage-waza (técnicas de projeção) concebido por Jigoro Kano e outros mestres do Kodokan. Ao todo, são cinco séries, cada qual com oito golpes, totalizando 40 técnicas, que também podem ser divididas conforme a parte do corpo mais exigida para sua aplicação: te-waza (técnicas de mão), ashi-waza (técnicas de perna), koshi-waza (técnicas de quadril), além dos massutemi-waza e yoko-sutemi-waza (técnicas de sacrifício frontal e lateral), assim denominados pelo fato de o tori, ao aplicá-los, ser obrigado a sacrificar sua postura.

1º Gokyo

De-ashi-harai (ashi-waza) — Golpe 1

Princípios gerais

Trata-se de um ashi-waza aplicado com a mesma perna da mão que segura a manga. No caso do kumi-kata (forma de segurar o judogui ou pegada) de direita, a perna esquerda. Sua aplicação é feita com a sola do pé, não com a lateral.

1 — O tori e o uke fazem kumi-kata de direita.

2 — O tori recua o pé direito e puxa a gola do uke de forma que ele avance o pé esquerdo.

3 — O tori puxa a manga do uke, fazendo com que ele avance a perna direita.

4 — Antes que o uke firme o pé no tatame, o tori faz o kuzushi na manga e na gola e varre com o pé esquerdo na altura do tornozelo direito.

5, 6 e 7 — O tori continua a varrida projetando o uke ao solo.

Pontos-chave

Eficaz para preparar outras técnicas, o de-ashi-harai — cuja tradução poderia ser "rasteira no pé avançado" —, também pode decidir uma luta se aplicado com o kuzushi certo e no instante em que o uke dá o passo, antes de ele transferir seu peso para a perna dianteira.

Hiza-guruma (ashi-waza) — Golpe 2

Princípios gerais

Este ashi-waza, a que se poderia traduzir como "giro sobre os joelhos", também deve ser aplicado com a sola do pé equivalente à mão que segura a manga, de preferência. O uke deve ser projetado frontalmente, girando sobre o eixo formado pelo pé esquerdo do tori, neste caso, em seu joelho direito.

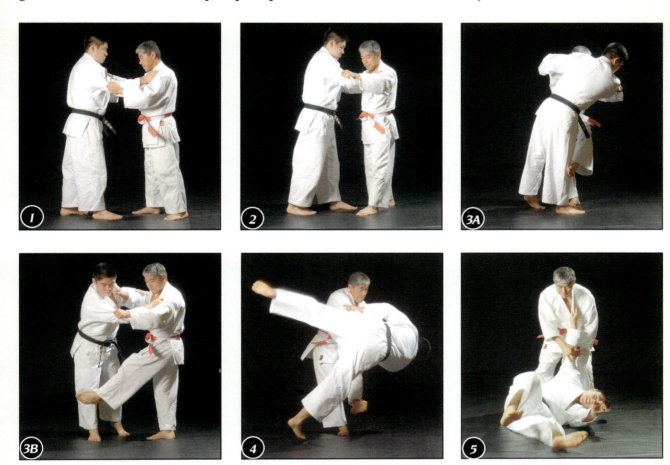

1 — O tori e o uke fazem kumi-kata de direita.

2 — O tori recua o pé direito e puxa a gola do uke de forma que ele avance o pé esquerdo.

3A e 3B — O tori puxa a manga do uke, fazendo com que ele avance a perna direita. Simultaneamente, faz o kuzushi à frente e apoia a sola do pé esquerdo no joelho direito do uke.

4 e 5 — O tori continua a puxada à frente, fazendo com que o uke gire sobre o joelho e seja projetado.

Pontos-chave

Não flexione o tronco, tampouco a perna cujo pé faz o apoio no joelho do uke, senão o golpe perde força e o tori fica vulnerável a contragolpes.

Sasae-tsuri-komi-ashi (ashi-waza) — Golpe 3

Princípios gerais

Nesta técnica de ashi-waza, que pode ser traduzida como "escorar o pé de apoio", o tori coloca a sola do pé correspondente à mão que segura a manga na parte frontal do tornozelo do uke e, fazendo o kuzushi para a frente, o projeta.

1 — O tori e o uke fazem kumi-kata de direita.

2 — O tori recua o pé direito e puxa a gola do uke de forma que ele avance o pé esquerdo.

3 — O tori puxa a manga do uke, fazendo com que ele avance a perna direita. Simultaneamente, faz o kuzushi para a frente e apoia a sola do pé esquerdo na altura do tornozelo do uke.

4, 5 e 6 — O tori continua a puxada para a frente, fazendo com que o uke gire sobre o tornozelo e seja projetado.

Pontos-chave

Assim como no caso hiza-guruma, não flexione o tronco tampouco a perna cujo pé faz a função de eixo, sob risco de tornar-se vulnerável a contragolpes, além de diminuir as chances de sucesso na aplicação da técnica. Vale salientar a importância de dirigir o olhar na direção em que o uke será projetado, o que contribui para a manutenção do equilíbrio do tori.

Uki-goshi (koshi-waza) — Golpe 4

Princípios gerais

Tokui-waza (técnica preferida) do professor Jigoro Kano, o golpe foi criado pelo próprio fundador do judô e consiste em desequilibrar o uke para frente, encaixar parcialmente o quadril diante dele e projetá-lo, girando o tronco.

1 — O tori e o uke fazem kumi-kata de direita.

2 — O tori recua o pé direito e puxa a gola do uke de forma que ele avance o pé esquerdo.

3A e 3B — O tori encaixa o quadril, sem virá-lo totalmente e quase sem flexionar as pernas, envolve suas costas com o braço direito e puxa a manga à frente.

4 e 5 — O tori faz com que o uke gire sobre a metade de seu quadril e o projeta à sua frente.

Pontos-chave

No caso do uki-goshi, técnica que poderia ser traduzida como "golpe de quadril flutuante", é importante salientar que o quadril do tori incide parcialmente no uke e que suas pernas precisam ser levemente flexionadas.

Osoto-gari (ashi-waza) — Golpe 5

Princípios gerais

No osoto-gari, nomenclatura que se poderia traduzir como "grande varrida por fora", o tori, no caso do kumi-kata de direita, deve varrer a perna direita do uke com a sua perna direita, projetando-o para trás.

1 — O tori e o uke fazem kumi-kata de direita.

2 — O tori recua o pé direito e puxa a gola do uke de forma que ele avance o pé esquerdo.

3A e 3B — O tori puxa a manga do uke, fazendo com que ele avance a perna direita. Simultaneamente, faz o kuzushi para trás e avança a perna esquerda, usando-a como apoio.

4A e 4B — Com a perna direita, o tori varre a perna direita do uke, sobre a qual estará o peso de seu corpo.

5A e 5B — O tori continua o kuzushi para trás e projeta o uke.

Pontos-chave

É importante fazer o kuzushi para trás e, ao avançar a perna esquerda que servirá de base para que a direita varra, o tori deve colar o ombro direito no ombro direito do uke, o que auxiliará no seu desequilíbrio.

Erro

O pé da perna que varre deve sempre apontar para baixo, não para a frente. A ponta do pé virada para baixo dá mais força à perna que varre.

Ogoshi (koshi-waza) — Golpe 6

Princípios gerais

Ogoshi é um koshi-waza em que o tori encaixa o quadril inteiro, enlaça a cintura do uke e depois usa o giro do tronco para projetá-lo sobre seu quadril, à sua frente. Se fôssemos traduzir, a técnica seria lida como "grande encaixe de quadril".

1 — O tori e o uke fazem kumi-kata de direita.

2 — O tori recua o pé direito e puxa a gola do uke de forma que ele avance o pé esquerdo.

3A e 3B — O tori encaixa o quadril, flexiona as pernas, envolve as costas do uke com o braço direito e puxa sua manga à frente.

4A, 4B e 5 — O tori faz com que o uke gire sobre seu quadril, usa as pernas como alavanca e o projeta à sua frente.

Pontos-chave

É fundamental que se flexione as pernas para encaixar o quadril e, durante o giro do tronco, é importante estender as pernas, usando-as como alavanca e aumentando o controle do tori sobre o corpo do uke.

GOKYO 63

Ouchi-gari (ashi-waza) — Golpe 7

Princípios gerais

Ouchi-gari quer dizer "grande varrida por dentro" e consiste no uso da perna direita do tori para varrer, de dentro para fora, a perna esquerda do uke.

1 — O tori e o uke fazem kumi-kata de direita.

2A e 2B — O tori recua a perna esquerda e puxa a manga do uke, fazendo com que avance a perna direita.

3A e 3B — Sem recuar o pé direito, o tori puxa a gola do uke de forma que ele avance a perna esquerda.

4 — O tori faz kuzushi para a diagonal-esquerda do uke. Varre com a perna direita, por dentro, a perna esquerda do uke. Quase simultaneamente à varrida, empurra o uke, na gola e na manga, para trás.

5A, 5B, 6A e 6B — O tori continua o kuzushi para trás e projeta o uke.

Pontos-chave

Aqui também se observa o detalhe na ponta do pé da perna que realiza a varrida, onde a pressão do movimento deve se concentrar. Para aplicar o ouchi-gari, deve-se flexionar levemente a perna de apoio, de modo a facilitar o aprofundamento da perna que varre. O kuzushi deve ser para baixo e à esquerda do uke, concentrando seu peso sobre a perna a ser varrida.

Detalhe

Detalhe do kuzushi feito no Ouchi-gari, colocando o peso do corpo do uke sobre a perna esquerda, que será varrida.

Seoi-nage (te-waza) — Golpe 8

Princípios gerais

Seoi-nague quer dizer "carregar nas costas e projetar" e, grosso modo, consiste em usar os dois braços para trazer o uke às costas para depois projetá-lo a frente. O seoi-nage, embora dependa bastante do quadril para ser bem executado, é um te-waza, pois seu principal atributo é jogo de braços.

1 — O tori e o uke fazem kumi-kata de direita.

2 — O tori recua o pé direito e puxa a gola do uke de forma que ele avance o pé esquerdo.

3 — O tori recua sua perna esquerda e puxa a manga do uke para a frente, de maneira que ele avance um pouco a perna direita. Simultaneamente, coloca o braço direito sob a axila do uke, sem soltar a pegada na gola e mantendo o punho reto.

4A e 4B — O tori, flexionando ambas as pernas, encaixa o quadril e simultaneamente traz o uke sobre suas costas, puxando para a frente.

5A, 5B, 6A e 6B — Mantendo a puxada para a frente, o tori projeta o uke, que girará sobre o ombro direito do tori e cairá à sua frente.

Pontos-chave

O kuzushi para a frente feito com as duas mãos — gola e manga —, com as pernas flexionadas, de modo que a faixa do tori fique abaixo da do uke, e com o encaixe completo do quadril e o punho que segura a gola rijo, garantindo o encaixe do cotovelo sob a axila do uke, são prérequisitos para o tori projetá-lo sobre o ombro correspondente à mão que segura a gola.

Erro 1

Ao flexionar as pernas para encaixar o quadril, o tori não pode abrir os joelhos, já que essa posição prejudica seu equilíbrio.

Erro 2

Para conseguir trazer o uke às costas, o tori deve flexionar as pernas. Do contrário, fica fácil para o uke se defender do golpe.

2º Gokyo

Kosoto-gari (ashi-waza) — Golpe 1

Princípios gerais

Kosoto-gari, outra técnica de ashi-waza, pode ser entendida como "pequena varrida por fora". Diferentemente do que ocorre com o osoto-gari, cujo ponto de contato é a coxa e parte da panturrilha, no kosoto-gari o tori varre com o pé esquerdo o calcanhar direito do uke — considerando que o kumi-kata é realizado por um tori destro. O kuzushi, aqui, é feito para trás.

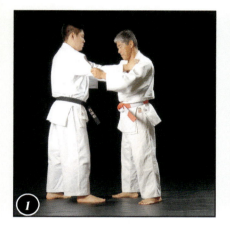  

1 — O tori e o uke fazem kumi-kata de direita.

2 — O tori recua o pé direito e puxa a gola do uke de forma que ele avance o pé esquerdo.

3 — O tori puxa a manga do uke, fazendo com que ele avance a perna direita. Simultaneamente, faz o kuzushi para trás.

4A, 4B e 5 — O tori avança um pouco a perna direita e a usa como apoio, enquanto com o pé esquerdo varre a perna direita do uke, atrás do calcanhar.

6A e 6B — O tori continua o kuzushi e projeta o uke.

Pontos-chave

No kosoto-gari, o tori deve ter atenção à perna de apoio, que não pode estar muito distante da que varre e cujo pé deve apontar para o uke, colocando o tori quase de frente à lateral do uke, senão o golpe perde força, e o tori fica vulnerável a contra-ataques (kaeshi-waza).

Detalhe

Atente-se para o kuzushi feito no kosoto-gari, colocando o peso do corpo do uke sobre a perna direita, que será varrida.

Kouchi-gari (ashi-waza) — Golpe 2

Princípios gerais

A "pequena varrida por dentro", ou kouchi-gari — técnica de ashi-waza —, é feita com o pé direito no calcanhar do pé direito. O kuzushi, no caso do kumi-kata de direita, é feito para trás e, sutilmente, à direita, sobre a perna a ser varrida.

1 — O tori e o uke fazem kumi-kata de direita.

2 — O tori recua o pé direito e puxa a gola do uke de forma que ele avance o pé esquerdo.

3 — O tori puxa a manga do uke, fazendo com que ele avance a perna direita. Simultaneamente, faz o kuzushi para trás.

4 — O tori varre com a perna direita, por dentro, a perna direita do uke.

5 e 6 — O tori continua o kuzushi e projeta o uke.

Pontos-chave

No kouchi-gari, como no kosoto-gari, o tori deve ter atenção à perna de apoio, que precisa ser flexionada, não pode estar muito distante da que varre, e cujo pé deve apontar para fora. O quadril deve ser levado à frente, para dar mais profundidade à perna que varre, e o kuzushi precisa de bastante precisão, para que uke caia de costas.

Detalhe

Detalhe do kuzushi feito no kouchi-gari, colocando o peso do corpo do uke sobre a perna direita, que será varrida.

Koshi-guruma (koshi-waza) — Golpe 3

Princípios gerais

Koshi-guruma, ou "giro sobre os quadris", exige do tori que encaixe o quadril, flexionando ambas as pernas, enlace o pescoço do uke com o braço direito, no caso de a técnica partir do kumi-kata de direita, e gire o tronco para projetar o uke à sua frente.

1 — O tori e o uke fazem kumi-kata de direita.

2 — O tori recua o pé direito e puxa a gola do uke de forma que ele avance o pé esquerdo.

3 — O tori puxa a manga do uke, fazendo com que ele avance a perna direita, enlaça o pescoço do uke com o braço direito e o punho cerrado, e encaixa o quadril, com as pernas flexionadas.

4 — Em seguida, o tori estende as pernas, mantém a puxada na manga do uke, fazendo o giro do tronco e o projetando.

5 — O tori termina o golpe segurando o braço direito do uke.

Pontos-chave

A perna flexionada e o enlace justo do pescoço são fundamentais. A perna, no instante de projetar o uke, será estendida. O enlace justo do pescoço serve para prender o uke, tornando-o mais vulnerável ao giro do tronco.

Detalhe
Detalhe do braço direito do tori, que envolve o pescoço do uke e cujo punho deve estar sempre cerrado.

Tsuri-komi-goshi (koshi-waza) — Golpe 4

Princípios gerais

Se traduzíssemos tsuri-kumi-goshi para o português poderíamos chamá-lo de "golpe do quadril suspenso". Este segue o mesmo princípio da maioria dos koshi-waza: as pernas devem ser flexionadas e o quadril encaixado com a faixa do tori abaixo da faixa do uke. A diferença está nos braços: o cotovelo direito deve ser encaixado sob a axila esquerda do uke, enquanto a mão esquerda realiza o kuzushi para a frente.

1 — O tori e o uke fazem kumi-kata de direita. O tori recua o pé direito, puxando a gola do uke, fazendo com que ele avance o pé esquerdo.

2 — O tori recua o pé esquerdo, puxando a manga do uke, de forma que ele avance o pé direito.

3 — Flexionando as pernas, o tori encaixa o quadril, encaixa o cotovelo, que segura a gola sob a axila do uke e puxa a manga.

4 — Em seguida, o tori estende as pernas, usando-as como alavanca, e mantém a puxada na manga do uke, projetando-o.

5 — O tori pode terminar o golpe segurando o braço direito do uke.

Pontos-chave

É fundamental que o tori encaixe bem o cotovelo sob a axila do uke e flexione as pernas, puxando a manga e a gola do uke para a frente.

Detalhe
Detalhe do braço direito do tori, cujo cotovelo se aprofunda sob a axila do uke, servindo de auxílio para a alavanca.

Okuri-ashi-harai (ashi-waza) — Golpe 5

Princípios gerais

Ashi-waza cuja tradução pode ser "acompanhar e varrer os pés", o okuri-ashi-harai é aplicado com tori e uke movimentando-se lateralmente. Para aplicá-lo, o tori deve aproveitar o instante em que o uke faz a movimentação lateral ou diagonal, varrendo os dois pés.

1A e 1B — O tori e o uke fazem kumi-kata de direita.

2A, 2B, 3A e 3B — Realizado durante a movimentação lateral, o tori aproveita o instante em que a perna direita do uke se move, varrendo-a com força no mesmo sentido — para dentro — e fazendo o kuzushi para a direita.

4A e 4B — O tori termina o golpe segurando o braço direito do uke.

Pontos-chave

O tori deve achar o tempo exato em que o uke faz o deslocamento lateral ou diagonal e varrer com explosão, fazendo o kuzushi para o lado em que ele será projetado.

Detalhe
Detalhe do kuzushi lateral à esquerda.

Tai-otoshi (te-waza) — Golpe 6

Princípios gerais

Este te-waza, que poderíamos traduzir como "derrubada de corpo", exige que o kuzushi seja para a frente, com o cotovelo do braço direito do tori incidindo sob a axila do uke e a perna direita colocada à frente das pernas do uke, fazendo o papel de obstáculo sobre o qual ele será projetado.

1 — O tori e o uke fazem kumikata de direita.

2 — O tori recua o pé direito, puxando a gola do uke.

3A e 3B — O tori puxa a manga do uke, fazendo com que ele avance a perna direita e coloque sobre ela o peso de seu corpo. Ao mesmo tempo, o tori traz sua perna esquerda paralelamente à direita, fazendo kuzushi.

4A e 4B — Em seguida, o tori estende a perna direita lateralmente e à frente do uke.

5A e 5B — O tori projeta o uke para a frente e sobre a sua perna direita.

6A e 6B — O tori pode terminar o golpe segurando o braço direito do uke.

Pontos-chave

Ao aplicar o tai-otoshi, o tori deve, enquanto realiza o jogo de pernas, puxar gola e manga para a frente e estender a perna direita como obstáculo ao uke, abaixando o tronco e o projetando.

Harai-goshi (koshi-waza) — Golpe 7

Princípios gerais

Harai-goshi, ou "varrida de quadril", assim como acontecerá em inúmeros outros golpes, serve-se do kuzushi em que o cotovelo do braço que segura a gola vai sob a axila, enquanto a mão que segura a manga a puxa para a frente. O quadril encaixa, com a perna de apoio, no caso a esquerda, flexionada, para ser estendida no exato instante em que a perna direita varre a perna do uke.

1 — O tori e o uke fazem kumi-kata de direita.

2 — O tori recua o pé direito, puxando a gola do uke.

3 — O tori puxa a manga do uke, fazendo com que ele avance a perna direita, e traz sua perna esquerda paralelamente à direita.

4A e 4B — Em seguida, o tori faz o kuzushi, encaixa o quadril e varre a perna direita do uke.

5A e 5B — O tori projeta o uke para a frente.

6A e 6B — O tori pode terminar o golpe segurando o braço direito do uke.

Pontos-chave

A flexão da perna de sustentação, o que lhe conferirá maior equilíbrio e maior explosão na hora de varrer, e o encaixe parcial do quadril, de modo a permitir que a perna que varrerá cumpra seu papel com mais eficiência, são pontos-chave para a correta execução da técnica.

Uchimata (ashi-waza) — Golpe 8

Princípios gerais

Uchimata, que pode ser entendido como "golpe nas virilhas", é aplicado na parte interna da perna esquerda do uke com a perna direita do tori. Diferentemente dos demais golpes, o uchimata pode ser uma técnica de perna ou de quadril. No caso da técnica de quadril, o tori encaixa o quadril na virilha do uke, puxa a manga na altura do seu peito, encaixa o braço direito sob sua axila para enfim varrer com a perna direita. Na técnica de perna, aqui demonstrada, o tori não precisa encaixar o quadril. Contudo, ele deve seguir os demais procedimentos anteriormente relacionados e, no fim, varrer a perna esquerda do uke internamente, usando como ponto de contato sua coxa, que atingirá a região da virilha do uke.

1 — O tori e o uke fazem kumi-kata de direita.

2 — O tori recua o pé direito, puxando a gola do uke.

3 — O tori puxa a manga do uke, fazendo com que avance a perna direita e coloque sobre ela o peso de seu corpo. Simultaneamente, o tori traz sua perna esquerda paralelamente à direita.

4A e 4B — Em seguida, o tori faz o kuzushi e varre a perna esquerda do uke por dentro.

5A e 5B — O tori projeta o uke para a frente.

6A e 6B — O tori termina o golpe.

Pontos-chave

Para que o uchimata seja bem aplicado é necessário que a lateral do peito do tori esteja colada à parte frontal do peito do uke. Com a perna de apoio levemente flexionada e a manga bem puxada para a frente, na altura do peito do tori, dificilmente o golpe não chegará a bom termo.

3º Gokyo

Kosoto-gake (ashi-waza) — Golpe 1

Princípios gerais

O kosoto-gake, que pode ser traduzido como "pequena enganchada externa", é aqui aplicado com a perna esquerda do tori na direita do uke. O kuzushi, naturalmente, é feito para traz e à direita do uke. O tori desloca, dessa forma, o peso do uke sobre a perna a ser enganchada.

1 — O tori e o uke fazem kumi-kata de direita.

2 — O tori recua o pé direito, puxando a gola do uke.

3 — O tori puxa a manga do uke sem recuar a perna esquerda.

4A e 4B — O tori faz o kuzushi e, com a perna esquerda, engancha a perna direita do uke.

5A e 5B — O tori projeta o uke para trás.

6 — O tori pode terminar o golpe segurando o braço direito do uke.

Pontos-chave

No kosoto-gake, a perna de apoio, no caso a direita, também precisa estar perto da perna responsável por enganchar, o que aumenta o equilíbrio do tori e facilita a realização do kuzushi. Distante, o tori entra desequilibrado no uke, correndo o risco de levar um uchimata de contragolpe.

Tsuri-goshi (koshi-waza) — Golpe 2

Princípios gerais

O tsuri-goshi — "içar quadris" — recebe esse nome porque, ao aplicá-lo, o tori precisa segurar a faixa do uke e içar seus quadris. Ao suspendê-lo, imediatamente encaixa o quadril e faz a projeção.

1 — O tori e o uke fazem kumi-kata de direita.

2 — O tori recua o pé direito, puxando a gola do uke.

3A, 3B e 3C — O tori puxa a manga do uke, fazendo com que ele avance a perna direita, enlaça a cintura do uke com o braço direito — sob o braço esquerdo do uke — e segura a sua faixa.

4A e 4B — Simultaneamente, o tori faz o kuzushi, puxando a manga para a frente e a faixa para cima, projetando o uke à sua frente.

5A e 5B — O tori pode terminar o golpe segurando o braço direito do uke.

Pontos-chave

O quadril é encaixado com a faixa do tori abaixo da faixa do uke. Para isso, o tori precisa flexionar as pernas. O braço direito do tori enlaça a cintura do uke e segura a faixa. Suspendendo o uke pela faixa, girando o tronco e estendendo as pernas, o tori projeta o uke.

Yoko-otoshi (yoko-sutemi-waza) — Golpe 3

Princípios gerais

Yoko-otoshi pode ser entendido como "queda lateral". Para aplicá-lo, o tori coloca o pé esquerdo na lateral externa do pé direito do uke. Em seguida, faz o kuzushi para a direita do uke, desliza o pé esquerdo, deita e projeta o uke lateralmente.

1 — O tori e o uke fazem kumi-kata de direita, e o tori faz o kuzushi para a esquerda, colocando o eixo de equilíbrio do uke sobre a sua perna esquerda.

2A e 2B — Simultaneamente, o tori estende a perna esquerda cuja sola do pé desliza à direita do uke.

3A e 3B — Ao deslizar o pé esquerdo e manter o kuzushi, o tori deita e projeta o uke para o lado direito.

4A e 4B — O tori termina o golpe.

Pontos-chave

Ao fazer o desequilíbrio para a direita do uke, é fundamental que ambas as mãos trabalhem no mesmo sentido. Tanto a que segura a gola quanto a que puxa a manga precisam desequilibrar vigorosamente o uke para a direita.

Ashi-guruma (ashi-waza) — Golpe 4

Princípios gerais

O ashi-guruma, que é o "giro sobre a perna", consiste basicamente em encaixar — no caso de tori destro — a perna direita em altura pouco abaixo do joelho do uke e fazer o kuzushi frontal, projetando-o à sua frente.

1 — O tori e o uke fazem kumi-kata de direita.

2 — O tori puxa a gola do uke e recua o pé direito, fazendo com que o uke avance o pé esquerdo.

3 — O tori cruza a perna esquerda na frente do uke, posicionando seu pé esquerdo à frente do pé esquerdo do uke.

4 — Girando sobre o pé esquerdo, o tori trará a perna direita para a frente do uke e a estenderá com o pé em altura pouco abaixo do joelho direito do uke.

5A e 5B — Simultaneamente, fará o kuzushi, puxando a manga e a gola do uke de forma circular.

6A, 6B e 6C — Por fim, realiza a projeção.

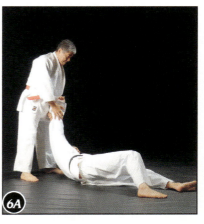

Pontos-chave

O kuzushi deve ser feito com os braços, realizando movimento giratório contínuo, e é fundamental que a cabeça acompanhe o movimento.

Hane-goshi (koshi-waza) — Golpe 5

Princípios gerais

Este golpe nasceu de problemas físicos enfrentados por um dos primeiros discípulos de Jigoro Kano, Yoshiaki Yamashita, grande difusor do esporte pelo mundo. Em razão de dores ocasionais no joelho, Yamashita era obrigado a aplicar o harai-goshi com a perna direita levemente flexionada. Assim, nasceu o hane-goshi — que pode ser traduzido como "impulso de quadril" —, cujo movimento se difere do harai-goshi em um aspecto: a perna direita, em vez de varrer, auxilia o quadril na alavanca.

1 — O tori e o uke fazem kumi-kata de direita.

2 — O tori puxa a gola do uke e recua o pé direito, fazendo com que o uke avance o pé esquerdo.

3 — O tori puxa a manga do uke, fazendo com que avance a perna direita e coloque sobre ela o peso de seu corpo. Simultaneamente, o tori traz sua perna esquerda em paralelo à direita.

4A e 4B — Em seguida, o tori encaixa o quadril e, com a perna direita levemente flexionada, faz a alavanca.

5A e 5B — Sempre fazendo o kuzushi — puxando a manga e a gola do uke frontalmente —, o tori projeta o uke.

6A e 6B — Terminando o golpe, o tori pode segurar o braço direito do uke.

Pontos-chave

Mais uma vez, a perna que serve de base precisa estar flexionada de modo que permita o melhor encaixe possível do quadril e, simultaneamente, o da perna direita. Detalhe para o kuzushi diagonal para a frente — gola e manga —, que se aplica também em outros golpes, como harai-goshi e uchimata.

Harai-tsuri-komi-ashi (ashi-waza) — Golpe 6

Princípios gerais

Na "rasteira com puxada ascendente", como se pode traduzir o nome da técnica, o tori empurra a gola do uke e aprofunda a sua perna direita, fazendo com que o uke afaste a perna esquerda primeiramente. Em seguida, no momento em que o uke afasta a perna direita, o tori o suspende, realizando o kuzushi, para logo depois varrer com a perna esquerda a parte frontal do tornozelo direito do uke.

1 — O tori e o uke fazem kumi-kata de direita.

2 — O tori empurra a gola, fazendo o uke recuar a perna esquerda.

3 e 4 — O tori empurra a manga e, no momento em que o uke afasta a perna direita, o tori o suspende, realizando o kuzushi. Em seguida, o tori varre com a perna esquerda a parte frontal do tornozelo direito do uke.

5 — O tori termina o golpe.

Pontos-chave

A varrida deve ser feita na parte frontal do pé do uke e na altura do tornozelo, a gola precisa ser suspensa e a manga puxada com firmeza de modo a garantir a eficácia do golpe.

Tomoe-nage (masutemi-waza) — Golpe 7

Princípios gerais

A palavra tomoe-nage pode ser traduzida como "projeção circular", golpe que, se aplicado no tempo certo e com os movimentos preparatórios bem executados, permite a um homem pequeno projetar com considerável leveza um indivíduo bem maior.

1 — O tori e o uke fazem kumi-kata de direita.

2 — O tori puxa a manga do uke e recua um pouco o pé esquerdo.

3 — Aproveitando o espaço aberto entre o tori e o uke por meio da movimentação, o tori coloca a sola da ponta do pé direito na cintura do uke — um pouco abaixo da faixa.

4 — Imediatamente, deita para trás, puxando o uke para si, mantendo o pé direito na cintura dele e mantendo a perna direita flexionada.

5 — Assim que toca as costas no chão, o tori estende a perna direita que alavancará o quadril e as pernas do uke frontalmente, fazendo-o girar sobre a própria cabeça.

6 — Ao fim do movimento, o tori pode ou não soltar o judogi do uke.

Pontos-chave

A perna que faz a alavanca deve estar flexionada no momento em que o tori se deita, e o pé precisa ser colocado logo abaixo da faixa do uke. Também é fundamental que o tori, ao se deitar, o faça o mais próximo possível de seu calcanhar.

Erro 1

Uma falha comum na aplicação do golpe é colocar o pé acima da faixa — ele deve estar sempre abaixo dela.

Kata-guruma (te-waza) — Golpe 8

Princípios gerais

O "giro sobre os ombros", kata-guruma, foi concebido por Jigoro Kano quando tinha por volta de 20 anos de idade e ainda era aprendiz na academia Tenshin Shin'yo. No kata-guruma, o tori se introduz sob o corpo do uke, coloca-o sobre os ombros, levanta e o arremessa.

1 — O tori e o uke fazem kumi-kata de direita.

2 — O tori puxa a gola do uke, fazendo-o avançar a perna esquerda.

3 — Em seguida, o tori puxa a manga, para a frente e levemente para cima, recuando, simultaneamente, a perna esquerda.

4 — Mantendo a puxada na manga, o tori agacha e enlaça a perna direita do uke com o braço direito, ao mesmo tempo apoiando o ombro na parte superior da coxa do uke e o trazendo sobre si.

5 — Depois de colocá-lo no ombro, o tori estende as pernas e simultaneamente traz a perna esquerda mais próxima da direita.

6 — Inclinando-se apenas um pouco, o tori projeta o uke na sua diagonal esquerda.

7 — O tori termina o golpe.

Pontos-chave

É fundamental, ao introduzir-se sob o corpo do uke, que o tori mantenha o tronco ereto, encaixe o ombro direito na coxa direita do uke e puxe a manga dele, de maneira horizontal, facilitando o desequilíbrio e o posterior soerguimento.

Erro 1

É comum que, ao aplicar o golpe, o tori não se abaixe o suficiente para colocar o uke sobre seus ombros e, assim, pode não conseguir suspendê-lo.

Erro 2

Pode acontecer também de o tori não encaixar o ombro na coxa do uke, mesmo depois de ter abaixado o suficiente para a realização do golpe. Nesse caso, todo o peso do uke tende a ser depositado sobre a coluna, causando lesão.

4º Gokyo

Sumi-gaeshi (masutemi-waza) — Golpe 1

Princípios gerais

Sumi-gaeshi, ou "invertida de canto", golpe cuja base lembra em muito o tomoe-nage, consiste em encaixar o peito do pé direito, no caso de o tori ser destro, na coxa do uke, deitar para trás e projetá-lo sobre sua cabeça.

1 — O tori e o uke fazem kumi-kata de direita.

2 — O tori puxa a gola do uke e recua um pouco a perna direita.

3 — O tori puxa a manga, recua a perna esquerda e força o uke para baixo, deixando-o na posição de jigo-tai.

4 — Depois o tori avança o pé esquerdo, colocando-o no lado interno do pé direito do uke.

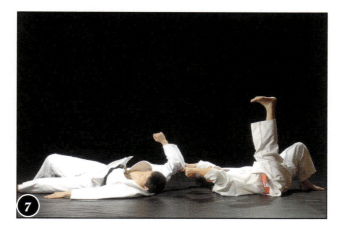

5A e 5B — Na sequência, o tori leva o peito do pé direito à parte interna da coxa esquerda do uke. Simultaneamente, o tori deita para trás, puxando para si o uke, pela gola e pela manga.

6 — Assim que as costas do tori tocam o chão, sua perna faz a alavanca e projeta o uke para a frente.

7 — O tori termina o golpe.

Pontos-chave

Ao deitar para trás é importante trazer consigo o uke o mais próximo possível, já com o pé encaixado na região da virilha.

Tani-otoshi (yoko-sutemi-waza) — Golpe 2

Princípios gerais

Muito usado como contragolpe, o tani-otoshi, ou "queda do vale", exige que o tori avance para uma das laterais do uke, faça o kuzushi para trás e, simultaneamente, deslize uma das pernas atrás do uke, fazendo a função de calço para projetá-lo.

1 — O tori e o uke fazem kumi-kata de direita.

2 — O tori puxa a gola do uke e recua um pouco a perna direita.

3A e 3B — O tori puxa a manga e se posiciona à direita do uke, iniciando o kuzushi para trás dele.

4 — Simultaneamente, o tori desliza o pé esquerdo no tatame, de modo a estender a perna esquerda por trás das pernas do uke.

5A e 5B — Sem cessar o kuzushi, o tori projeta o uke de costas, caindo junto, mas lateralmente. O tori termina o golpe.

Pontos-chave

É indispensável que o kuzushi seja feito para trás do uke; do contrário, além de não conseguir projetá-lo, se forçá-lo para baixo e deixar a perna esquerda à meia-altura, pode causar uma lesão no uke.

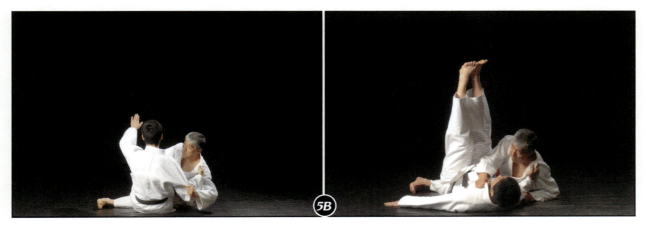

Hane-makikomi (yoko-sutemi-waza) — Golpe 3

Princípios gerais

O hane-makikomi, traduzido como "impulso de quadril com rolamento", respeita os mesmos procedimentos do hane-goshi, com a diferença de que a mão da gola é solta pelo tori, assim que ele encaixa a perna e o quadril, e seu braço é colocado sobre o ombro direito do uke, girando-o para a frente e levando-o consigo.

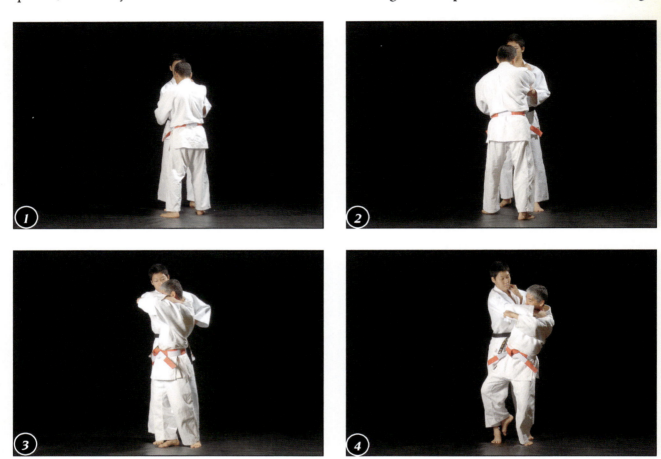

1 — O tori e o uke fazem kumi-kata de direita.

2 — O tori puxa a gola do uke, fazendo-o avançar a perna esquerda.

3 — Em seguida, o tori puxa a manga, fazendo avançar a perna direita do uke até o ponto em que suas pernas se posicionam paralelamente. Ao mesmo tempo, o tori gira e encaixa o quadril.

4 — Quase simultaneamente, o tori flexiona sua perna direita que será usada para varrer em alavanca a perna direita do uke. Em cima, o tori realiza o kuzushi para a frente.

5A e 5B — Soltando a mão da gola, o tori passa o braço direito sobre o braço direito do uke, encaixando o ombro dele sob sua axila e mantendo o kuzushi frontal e a alavanca com a perna direita flexionada.

6 — O tori rola usando o braço direito como um arco sobre o qual gira trazendo consigo o uke.

7 — O tori cai em condições de imobilizar o uke.

Pontos-chave

É importantíssimo o tori puxar a manga do uke para a frente e na altura de seus ombros, de modo que a colocação do braço sobre o ombro do uke ajude a projetá-lo.

Sukui-nage (te-waza) — Golpe 4

Princípios gerais

O sukui-nage, "golpe catado", é um te-waza e exige, a exemplo do que se verifica em técnicas como o tani-otoshi, que o tori coloque a perna esquerda, cruzada, atrás do uke, servindo de eixo sobre o qual o uke será girado. Aqui, as mãos do tori são usadas para pegar as pernas do uke na altura dos joelhos, suspendendo-os, para projetá-lo de costas para trás.

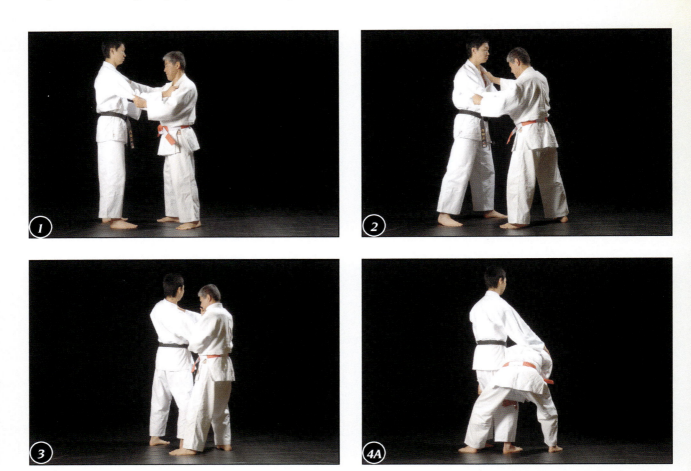

1 — O tori e o uke fazem kumi-kata de direita.

2 — O tori puxa a gola do uke e recua um pouco a perna direita.

3 — O tori puxa a manga e se posiciona à direita do uke, iniciando o kuzushi para trás do uke.

4A e 4B — Em seguida, o tori apoia sua perna esquerda atrás do uke, formando um eixo. Simultaneamente, o tori coloca a mão esquerda atrás do joelho esquerdo do uke e a direita atrás do joelho direito do uke.

5, 6A e 6B — Suspendendo as pernas do uke pelos joelhos e girando-o sobre sua perna esquerda, o tori projeta o uke de costas.

Pontos-chave

O tori não pode estar com as pernas abertas demais nem tão próximas. Primeiro, para que não se desequilibre no momento da execução do golpe. Segundo, para que não despenda muito esforço em vão, já que sem a perna como eixo de projeção o golpe falhará. É importante também que o tori, ao pegar os joelhos, flexione o tronco e depois o reerga ao mesmo tempo em que suspende os joelhos do uke. Dessa forma, terá mais tração.

Utsuri-goshi (koshi-waza) — Golpe 5

Princípios gerais

"Troca de quadris" é a tradução que se poderia fazer de utsuri-goshi, cuja execução confirma na prática sua nomenclatura. Afinal, a técnica consiste em, primeiro, o tori erguer o uke à sua frente, usando a força das pernas e dos quadris para alçá-lo acima, e, no instante em que o uke flutua, trocar a posição do quadril, encaixando sua parte posterior para, enfim, projetá-lo à sua frente.

1 — O tori e o uke fazem kumi-kata de direita.

2 — O tori puxa a gola do uke e recua um pouco a perna direita.

3 — Em seguida, o tori puxa a manga do uke, mantém o pé esquerdo avançado, atrás da perna direita do uke, cujo braço direito é colocado pelo tori sobre seu ombro esquerdo.

4A e 4B — Mantendo a mão direita na gola do uke, o tori abraça-o pela cintura com o braço esquerdo e, ao mesmo tempo, flexiona as pernas.

5 — Encaixando a parte frontal do quadril na parte lateral do quadril do uke, o tori realiza o kuzushi para cima com os braços e o auxílio das pernas, que são estendidas simultaneamente, criando uma alavanca que alçará o uke.

6 — Alçado, o quadril do uke perde momentaneamente contato com a lateral do tori, que posiciona seu quadril nesse ínterim à frente do uke, para usá-lo como pivô sobre o qual o corpo do uke girará.

7A e 7B — Ao fim, o uke é projetado de costas no chão, à frente do tori.

Pontos-chave

Para realizar com sucesso o golpe, o tori deve alçar o uke acima com bastante vigor, de modo que consiga passar o quadril à frente para, em seguida, usá-lo como eixo de projeção.

Oguruma (ashi-waza) — Golpe 6

Princípios gerais

O oguruma, ou "grande giro", é um ashi-waza e em muito se parece com o ashi-guruma. A principal diferença está na posição da perna que faz a função de eixo de projeção; no caso do kumi-kata de direita, a perna direita. O tori, então, em vez de estender a perna direita com o pé em altura pouco abaixo do joelho, deve fazê-lo logo acima. Antes e depois dessa etapa, o procedimento é exatamente o mesmo do ashi-guruma.

1A e 1B — O tori e o uke fazem kumi-kata de direita.

2A e 2B — O tori puxa a gola do uke e recua um pouco a perna direita.

3A e 3B — O tori cruza a perna esquerda na frente do uke, posicionando seu pé esquerdo à frente do pé esquerdo do uke.

4A e 4B — Girando sobre o pé esquerdo, o tori trará a perna direita para a frente do uke e a estenderá, com o pé em altura um pouco acima do joelho direito do uke.

5A e 5B — Simultaneamente, fará o kuzushi, puxando a manga e a gola do uke de forma giratória.

6A e 6B — Por fim, realiza a projeção.

Pontos-chave

A execução adequada do golpe exige que o tori puxe a manga e a gola do uke continuamente, já que a perna, ao contrário do que acontece no harai-goshi, não varre, mas cumpre a função de eixo. O kuzushi precisa ser realizado de forma continua até o término do golpe.

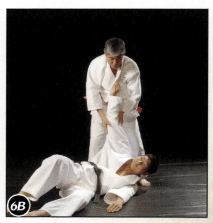

Soto-makikomi (yoko-sutemi-waza) — Golpe 7

Princípios gerais

Soto-makikomi pode ser entendido como "rolamento por fora". Aqui, a aplicação do quadril é feita da mesma maneira verificada em técnicas como ogoshi e koshi-guruma. Todavia, em vez de enlaçar a cintura do uke ou o seu pescoço, cabe ao tori passar o braço direito sobre o braço direito do uke e prendê-lo sob sua axila. Quadril encaixado e braço preso, o tori gira o tronco para a frente, preservando o quadril como eixo para fazer a projeção.

1 — O tori e o uke fazem kumi-kata de direita. O tori puxa a gola do uke, fazendo-o avançar a perna esquerda.

2 — Em seguida, o tori puxa a manga do uke, fazendo-o avançar a perna esquerda até o ponto em que suas pernas se posicionam paralelamente. Ao mesmo tempo, o tori gira e encaixa o quadril, com as pernas flexionadas. Preservando o kuzushi frontal, o tori passa o braço direito sobre o direito do uke, encaixando o braço dele sob sua axila.

3 — Usando o braço direito como um arco sobre o qual girará trazendo consigo o uke.

4 — O tori cai sobre o uke, já em condições de imobilizá-lo.

Pontos-chave

No soto-makikomi é indispensável que a manga não seja puxada para baixo. Assim, o encaixe da axila no braço do uke confere maior eficiência ao kuzushi e também facilita o encaixe do quadril.

Uki-otoshi (te-waza) — Golpe 8

Princípios gerais

No uki-otoshi, "golpe flutuante", o tori aproveita a movimentação frontal do uke e, com um vigoroso kuzushi para baixo e à esquerda, no caso de o tori ser destro, faz com que gire sobre seu próprio eixo.

1 — O tori e o uke fazem kumi-kata de direita.

2 — O tori puxa a gola do uke, fazendo-o avançar a perna esquerda.

3 — Em seguida, o tori recua a perna esquerda, conferindo maior solidez à base, e faz o kuzushi, com força, à diagonal esquerda e simultaneamente para baixo.

4 e 5 — Assim, tira o uke da base e o projeta de costas, depois de girar sobre si mesmo.

Pontos-chave

É indispensável realizar a puxada com firmeza, usando a força combinada de ambos os braços.

5º Gokyo

Osoto-guruma (ashi-waza) — Golpe 1

Princípios gerais

Golpe de ashi-waza muito parecido com o osoto-gari, valendo-se do mesmo kuzushi para trás, mas, em vez de varrer a perna direita do uke, o tori avança um pouco mais a perna base e faz o eixo com a perna direita, projetando o uke por meio da força do giro do tronco e da cabeça.

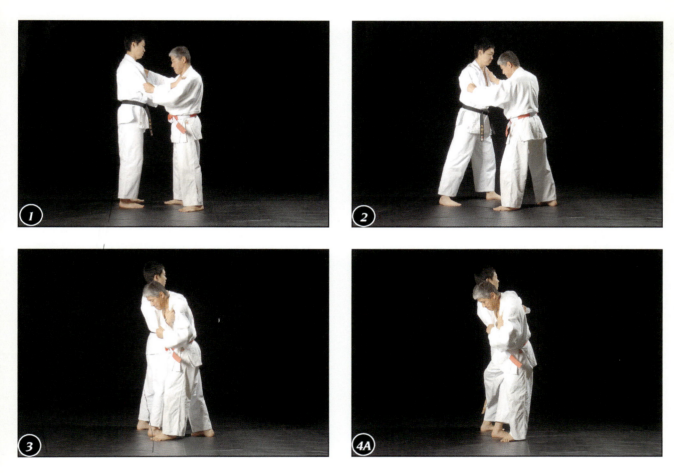

1 — O tori e o uke fazem kumi-kata de direita.

2 — O tori puxa a gola do uke, fazendo-o avançar a perna esquerda.

3 — Em seguida, o tori puxa a manga do uke, fazendo-o avançar a perna direita, e faz o kuzushi para trás.

4A e 4B — Depois, faz o eixo com a perna direita atingindo as duas pernas do uke.

5A, 5B, 6A e 6B — Conciliando ao kuzushi o giro do tronco e da cabeça, o tori projeta o uke.

Pontos-chave

A perna base do tori, ao ser avançada, deve ultrapassar a linha formada pelas duas pernas do uke, dispostas paralelamente; em seguida, a perna que formará o eixo precisa ser aprofundada, atingindo ambas as pernas do uke.

Uki-waza (yoko-sutemi-waza) — Golpe 2

Princípios gerais

O "arremesso flutuante", como se poderia chamar o uki-waza, se a tradução de termos fosse comum na prática do judô, notabiliza-se por ser uma técnica com alto grau de dificuldade, cuja execução para os dois lados — esquerdo e direito — é atributo de pouquíssimos judocas; em regra, autênticos mestres. Para aplicá-lo, o tori deve deslizar o pé esquerdo ao lado do pé direito do uke, jogar-se para trás e fazer o kuzushi para baixo e à esquerda, projetando o uke sobre seu ombro.

1 — O tori e o uke fazem kumi-kata de direita.

2 — O tori puxa a gola do uke, fazendo-o avançar a perna esquerda.

3 — Em seguida, o tori puxa a manga do uke, fazendo-o avançar a perna direita, sobre a qual o tori colocará o peso do uke.

4 — Deslizando com velocidade e agilidade o pé esquerdo à frente do pé direito do uke, o tori deita, fazendo o kuzushi para baixo.

5 — Assim, o tori projeta o uke à sua diagonal esquerda.

Pontos-chave

É fundamental no instante em que se projeta para trás, o tori manter a pegada, trazendo consigo o uke. Ao mesmo tempo, deve realizar o arremesso de modo a projetar o uke sobre seu ombro esquerdo, no caso de o tori ser destro.

Yoko-wakare (yoko-sutemi-waza) — Golpe 3

Princípios gerais

Yoko-wakare, que pode ser traduzido como "separação de lados", consiste em o tori projetar o uke sobre si mesmo, mais precisamente sobre seu tórax, o que só é possível se, antes, o tori deitar e, ao mesmo tempo, realizando o kuzushi à sua frente, com ambos os braços, arremessar o uke.

1 — O tori e o uke fazem kumi-kata de direita.

2 — O tori puxa a gola do uke, fazendo-o avançar a perna esquerda.

3 — Em seguida, o tori avança a perna direita e puxa a manga do uke sobre seu peito, fazendo kuzushi à frente do uke.

4 — Firmando a perna direita, que serve de base para a aplicação do golpe, o tori lança a perna esquerda estendida para a frente, mantendo o kuzushi na frente e, ao mesmo tempo, projeta-se, trazendo consigo o uke.

5 — Dessa forma, o tori projeta o uke.

Pontos-chave

Para executar com presteza o yoko-wakare, é fundamental realizar o kuzushi com bastante vigor e autoprojetar-se rapidamente, de modo a fazer com que o peso do corpo em queda contribua para o arremesso, sem lhe dar chance de defesa.

Yoko-guruma (yoko-sutemi-waza) — Golpe 4

Princípios gerais

O "giro lateral", como se poderia traduzir yoko-guruma, é muito aplicado como kaeshi-waza. Para realizar essa técnica, o tori coloca o pé direito à frente e entre as pernas do uke, tira a mão da gola e a espalma contra o abdômen do adversário, enquanto, pelas costas, sua mão esquerda enlaça a cintura do uke. Girando-o, o tori o projeta sobre seu ombro esquerdo.

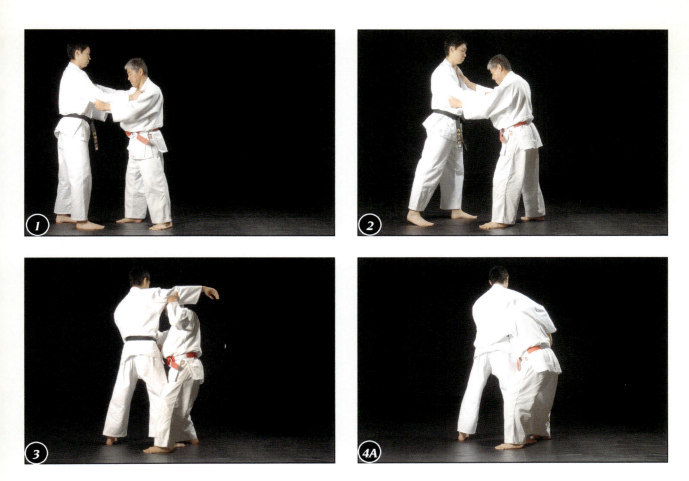

1 — O tori e o uke fazem kumi-kata de direita.

2 — O tori puxa a gola do uke, fazendo-o avançar a perna esquerda.

3 — Depois, o tori puxa a manga do uke, trazendo-a sobre seu ombro e fazendo-o avançar a perna direita.

4A, 4B, 4C e 4D — Imediatamente após, o tori enlaça a cintura do uke pelas costas, com o braço esquerdo, e coloca a mão direita, que segurava a gola, espalmada na altura do abdômen do uke.

5 — O tori leva sua perna direita entre as pernas do uke e, flexionando ambas as pernas, deita-se para trás, projetando o uke.

6 — Assim, o tori termina o golpe, após projetá-lo sobre seu ombro esquerdo.

Pontos-chave

É essencial colocar o pé direito entre as pernas do uke, de forma a assegurar o ângulo adequado para que se deite, e em seguida projete o uke.

Ushiro-goshi (koshi-waza) — Golpe 5

Princípios gerais

Este koshi-waza, traduzido como "golpe de quadris pela retaguarda", consiste em o tori dominar o uke pela retaguarda, erguê-lo, valendo-se das pernas, dos braços e do abdômen, e depois projetá-lo de costas.

1 — O tori e o uke fazem kumi-kata de direita.

2 — O tori puxa a gola do uke, fazendo-o avançar a perna esquerda.

3 — Em seguida, o tori puxa a manga do uke sem recuar a perna esquerda, trazendo o braço direito do uke sobre seu ombro e fazendo-o avançar a perna esquerda.

4 — O tori enlaça a cintura do uke pelas costas com o braço esquerdo, mantém a pegada com a mão direita na gola e flexiona ambas as pernas, que o auxiliarão no soerguimento do uke.

5A e 5B — O tori encaixa o abdômen e, usando braços e pernas, ergue o uke.

6A e 6B — Ajeitando o uke no alto, com o auxílio de braços e abdômen, o tori o projeta.

Pontos-chave

O peito e o abdômen do tori devem estar colados às costas do uke, para facilitar o soerguimento, sem o qual a projeção se tornará praticamente impossível.

Ura-nage (masutemi-waza) — Golpe 6

Princípios gerais

No "arremesso inverso", o tori deve envolver a cintura do uke com o braço esquerdo e espalmar a mão direita no abdômen. Depois, deve arremessá-lo por cima da cabeça.

1 — O tori e o uke fazem kumi-kata de direita.

2 — O tori puxa a gola do uke, fazendo-o avançar a perna esquerda.

3 — Em seguida, o tori puxa a manga do uke, trazendo-a sobre seu ombro e fazendo-o avançar, simultaneamente, a perna esquerda.

4 — Imediatamente após, o tori enlaça a cintura do uke pelas costas com o braço esquerdo e leva a mão direita espalmada para o abdômen do uke. Ao mesmo tempo, o tori encaixa o abdômen e flexiona as pernas.

5 — Estendendo as pernas e projetando o abdômen à frente, o tori ergue o uke.

6, 7 e 8 — Depois, o tori deita de costas, projetando sobre sua cabeça o uke.

Pontos-chave

O arremesso precisa ser feito com bastante energia, senão o uke pode cair sobre o tori, anulando toda a eficiência da técnica.

Sumi-otoshi (te-waza) — Golpe 7

Princípios gerais

Sumi-otoshi foi concebido por um dos maiores mestres do judô, o professor Kiuzo Mifune. O sumi-otoshi, cuja tradução seria "arremesso para o canto", é fruto de anos de estudo de professor Mifune no sentido de criar uma técnica que permitisse a projeção com o mínimo de contato físico entre os judocas. Assim, o tori vale-se apenas dos braços para realizá-lo. É, em essência, golpe de kuzushi aliado a contrapé.

1A e 1B — O tori e o uke fazem kumi-kata de direita.

2A e 2B — O tori puxa a gola do uke, fazendo-o avançar a perna esquerda no sentido diagonal direito.

3A e 3B — Em seguida, o tori avança sua perna esquerda na diagonal posterior direita do uke.

4A e 4B — Fazendo o kuzushi para trás do uke, com ambas as mãos, o tori projeta o uke.

5A e 5B — Depois de girar sobre o próprio eixo, em razão do kuzushi realizado pelo tori, o uke cai de costas no tatame, com a cabeça voltada para o tori.

Pontos-chave

O sumi-otoshi exige que o tori abaixe um pouco o quadril. O kuzushi deve ser feito em direção à retaguarda direita, com a manga sendo puxada para baixo e a gola empurrada para trás.

Yoko-gake (yoko-sutemi-waza) — Golpe 8

Princípios gerais

No yoko-gake, ou "rasteira lateral enganchada", o tori desequilibra o uke para o canto frontal direito e, em seguida, realiza a rasteira com o pé esquerdo no pé direito do uke, deitando e, ao mesmo tempo, projetando-o.

1 — O tori e o uke fazem kumi-kata de direita.

2 — O tori empurra a gola do uke e avança a perna direita, fazendo o uke recuar a perna esquerda.

3 — Em seguida, o tori, fazendo kuzushi para a direita do uke, engancha o pé na lateral externa do tornozelo e, ao mesmo tempo, varre a perna direita do uke.

4 e 5 — Deitando com o uke, sem largar o kumi-kata, o tori projeta-o.

Pontos-chave

Para garantir a projeção do uke de costas, é importante que o kuzushi inicial seja feito pela manga e gola. Dessa forma, evita-se também que o uke caia de ombro no chão.

CAPÍTULO 6

RENRAKU-HENKA-WAZA

RENRAKU-HENKA-WAZA

Traduzível como sequência de golpes, o renraku-henka-waza consiste em realizar técnica que exija do uke movimentos defensivos, que o tornam vulnerável a outros golpes aplicados em seguida pelo tori. Um renraku-renka-waza pode ter quantos golpes o tori for capaz de realizar em sequência.

De-ashi-harai para kibisu-gaeshi

1 — Tori e uke fazem kumi-kata de direita.

2, 3 e 4 — O tori aplica o de-ashi-harai no uke com a perna esquerda.

5A, 5B e 5C — O tori aproveita a perna direita suspensa do uke, pega-a pelo calcanhar com a mão direita e lhe aplica o kibisu-gaeshi.

6 e 7 — O tori conclui a técnica.

De-ashi-harai para tani-otoshi

1 — Tori e uke fazem kumi-kata de direita.

2, 3 e 4 — O tori aplica o de-ashi-harai na perna direita do uke.

5 e 6 — O uke contém o ataque, firmando a perna varrida no tatame, mas o tori aproveita sua base frágil e sua posição para aplicar-lhe o tani-otoshi.

7 — O tori conclui a técnica.

De-ashi-harai para kosoto-gake

1 — Tori e uke fazem kumi-kata de direita.

2 e 3 — O tori aplica o de-ashi-harai na perna direita do uke.

4, 5A e 5B — O uke se defende, firmando a perna varrida no tatame, mas o tori aproveita para enganchar a perna esquerda por trás da perna direita do uke e fazer o kuzushi para trás.

6 e 7 — Com o uke desequilibrado, o tori aplica o kosoto-gake e conclui o golpe.

De-ashi-harai para osoto-gari

1 — Tori e uke fazem kumi-kata de direita.

2, 3 e 4 — O tori aplica o de-ashi-harai com a perna esquerda.

5, 6 e 7 — O uke se defende firmando o pé no tatame. O tori se aproveita e aplica, com a perna direita, o osoto-gari na perna direita do uke.

8 — O tori conclui o golpe.

De-ashi-harai para sode-tsuri-komi-goshi

1 — Tori e uke fazem kumi-kata de direita.

2 e 3 — O tori aplica o de-ashi-harai com a perna esquerda, mas o uke recolhe a perna, esquivando-se.

4, 5 e 6 — O tori aproveita o próprio movimento e a fragilidade do uke, que se equilibra apenas em uma perna, para aplicar o sode-tsuri-komi-goshi de esquerda.

7 — O tori conclui o golpe.

Harai-goshi para uchi-mata

1 — Tori e uke fazem kumi-kata de direita.

2, 3 e 4 — O tori aplica o harai-goshi de direita.

5 e 6 — O uke se defende com o hara (barriga) e afasta a perna direita, mas o tori, velozmente, aproveita o movimento de defesa do uke, volta a perna e aplica o uchi-mata, sem apoiá-la no chão.

7 — O tori conclui o golpe.

Harai-goshi para osoto-gari

1 — Tori e uke fazem kumi-kata de direita.

2, 3, 4 e 5 — O tori aplica o harai-goshi, mas o uke se defende com o hara.

6, 7 e 8 — O tori aproveita a posição de sua perna direita e a projeção do tronco do uke para trás para completar a sequência aplicando o osoto-gari.

9 — O tori conclui o golpe.

Harai-goshi para harai-makikomi

1 — Tori e uke fazem kumi-kata de direita.

2, 3, 4 e 5 — O tori aplica o harai-goshi com a perna direita, mas o uke se defende com o hara.

6A, 6B, 7A e 7B — O tori solta a gola do uke, passa o braço direito sobre o braço esquerdo do uke e encaixa-o sob sua axila, enquanto puxa a manga do uke para a esquerda, aplicando-lhe o harai-makikomi.

8A e 8B — O tori completa o golpe.

Hairai-goshi para ouchi-gari

1 — Tori e uke fazem kumi-kata de direita.

2, 3 e 4 — O tori aplica o harai-goshi, mas o uke se defende projetando o hara.

5, 6 e 7 — O tori aproveita a defesa do uke e lhe aplica velozmente o ouchi-gari.

8 e 9 — O tori projeta o uke.

Hiza-guruma para osoto-gari

1 — Tori e uke fazem kumi-kata de direita.

2, 3 e 4 — O tori aplica o hiza-guruma na perna esquerda do uke, que se defende, avançando a perna direita para bloquear a ação do tori.

5, 6 e 7 — O tori aproveita o avanço da perna direita do uke e, velozmente, já desequilibrando o uke para trás, aplica o osoto-gari, também com a perna direita.

8 — O tori conclui o golpe.

Hiza-guruma para kosoto-gari

1 — Tori e uke fazem kumi-kata de direita.

2 e 3 — O tori aplica o hiza-guruma na perna esquerda do uke, que se defende avançando a perna direita.

4, 5, 6A e 6B — Rapidamente, o tori firma a perna direita no tatame e varre com o pé esquerdo a perna direita do uke por trás do calcanhar, realizando o kosoto-gari.

7A e 7B — O tori conclui o golpe.

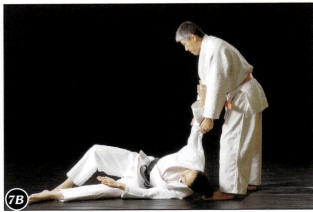

Ippon-seoi-nage para seoi-otoshi

1 — Tori e uke fazem kumi-kata de direita.

2, 3, 4 e 5 — O tori aplica o ippon-seoi-nage, mas o uke se defende com o hara.

6A, 6B, 7A e 7B — O tori ajoelha a perna direita e realiza o seoi-otoshi.

8A e 8B — O tori conclui o golpe.

Ippon-seoi-nage para kouchi-makikomi

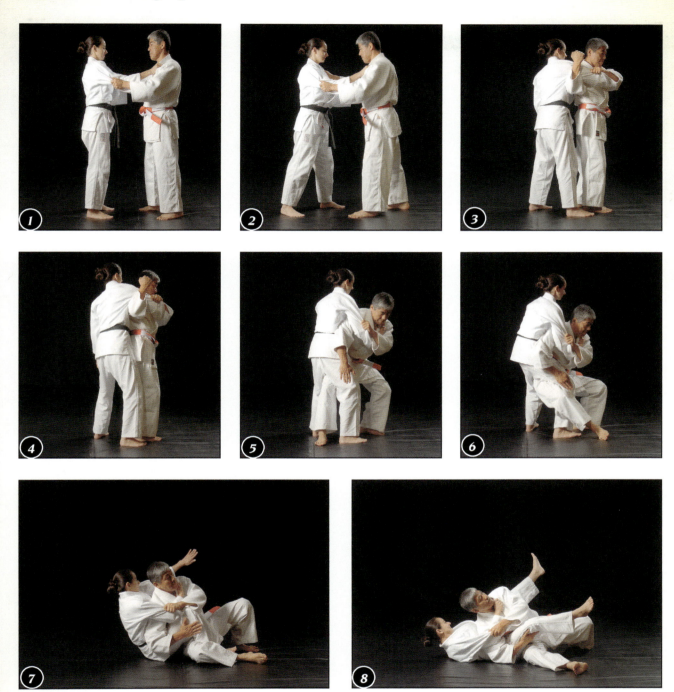

1 — Tori e uke fazem kumi-kata de direita.

2, 3 e 4 — O tori aplica o ippon-seoi-nage, mas o uke se defende com o hara.

5, 6 e 7 — Aproveitando a força que o uke faz com o tronco para trás, o tori lhe aplica velozmente o kouchi-makikomi.

8 — O tori conclui o golpe.

Ippon-seoi-nage para kuchiki-taoshi

1 — Tori e uke fazem kumi-kata de direita.

2, 3, 4 e 5 — O tori aplica o ippon-seoi-nage, mas o uke se defende escapando pela lateral direita.

6, 7 e 8 — O tori avança a perna esquerda lateralmente à perna direita do uke e, mantendo a pegada na manga direita dele, pega sua perna direita por trás do joelho e realiza o kuchiki-taoshi.

9 — O tori conclui o golpe.

Kosoto-gari para nidan-kosoto-gari

1 — Tori e uke fazem kumi-kata de direita.

2, 3, 4 e 5 — O tori aplica o kosoto-gari com a perna esquerda na perna direita do uke, que consegue transferir o peso de seu corpo para a perna esquerda.

6, 7 — O tori então aproveita o desequilíbrio do uke para trás e varre a perna esquerda do uke com a sua perna esquerda, realizando o nidan-kosoto-gari.

8 — O tori conclui o golpe.

Kosoto-gari para tani-otoshi

1 — Tori e uke fazem kumi-kata de direita.

2, 3 e 4 — O tori aplica o kosoto-gari com o pé esquerdo na perna direita do uke, que bloqueia o ataque, mantendo firme ambas as pernas no tatame.

5 e 6 — O tori aproveita que está posicionado ao lado do uke e lhe aplica o tani-otoshi.

7 — O tori conclui o golpe.

Kouchi-gari para kibisu-gaeshi

1 — Tori e uke fazem kumi-kata de direita.

2, 3, 4 e 5 — O tori aplica o kouchi-gari com o pé direito, e o uke tenta se livrar, levantando a perna varrida.

6, 7, 8 e 9 — O tori se aproveita do movimento do uke e agarra sua perna direita pelo calcanhar, para aplicar-lhe o kibisu-gaeshi.

10 — O tori conclui o golpe.

Kouchi-gari para harai-goshi

1 — Tori e uke fazem kumi-kata de direita.

2, 3, 4 e 5 — O tori aplica o kouchi-gari com o pé direito, mas o uke resiste e afasta a perna varrida, escapando do golpe.

6, 7, 8 e 9 — O tori se aproveita do movimento que o uke faz à frente, para retomar a postura, e aplica o harai-goshi.

10 — O tori conclui o golpe.

Kouchi-gari para seoi-nage

1 — Tori e uke fazem kumi-kata de direita.

2, 3, 4 e 5 — O tori aplica o kouchi-gari com o pé direito, mas o uke resiste e afasta a perna varrida, escapando do golpe.

6, 7, 8 e 9 — O tori aproveita o movimento que o uke faz à frente, para retomar a postura, e aplica o seoi-nage.

10 — O tori conclui o golpe.

Kouchi-gari para ouchi-gari

1 — Tori e uke fazem kumi-kata de direita.

2, 3, 4 e 5 — O tori aplica o kouchi-gari com o pé direito, mas o uke resiste e afasta a perna varrida, escapando do golpe.

6, 7A, 7B, 8 e 9 — O tori aproveita o movimento do uke, que leva a perna direita para trás, e aplica o ouchi-gari na perna esquerda do uke.

10 — O tori conclui o golpe.

Kouchi-gari para tai-otoshi

1 — Tori e uke fazem kumi-kata de direita.

2, 3, 4 e 5 — O tori aplica o kouchi-gari com o pé direito, mas o uke resiste e afasta a perna varrida, escapando do golpe.

6, 7 e 8 — O tori aproveita o movimento que o uke faz à frente, para retomar a postura, e aplica o tai-otoshi.

9 — O tori conclui o golpe.

Kouchi-gari para uchi-mata

1 — Tori e uke fazem kumi-kata de direita.

2, 3, 4 e 5 — O tori aplica o kouchi-gari com o pé direito, mas o uke resiste e afasta a perna varrida, escapando do golpe.

RENRAKU-HENKA-WAZA 159

6, 7, 8 e 9 — O tori aproveita o movimento que o uke faz à frente, para retomar a postura, e aplica o uchi-mata.

10 — O tori conclui o golpe.

Kouchi-gari para kuchiki-taoshi

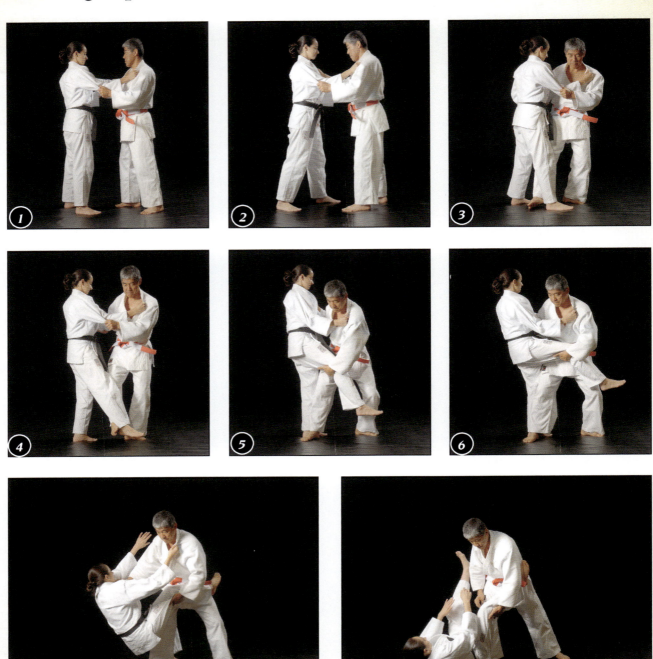

1 — Tori e uke fazem kumi-kata de direita.

2, 3 e 4 — O tori aplica o kouchi-gari com o pé direito, e o uke tenta se livrar, levantando a perna varrida.

5, 6 e 7 — O tori se aproveita do movimento do uke e agarra sua perna direita atrás do joelho, para aplicar-lhe o kutiki-taoshi.

8 — O tori conclui o golpe.

Kouchi-gari para ippon-seoi-nage

1 — Tori e uke fazem kumi-kata de direita.

2, 3, 4 e 5 — O tori aplica o kouchi-gari com o pé direito, mas o uke resiste e afasta a perna varrida, escapando do golpe.

6, 7, 8 e 9 — O tori aproveita o movimento que o uke faz à frente, para retomar a postura, e aplica o ippon-seoi-nage.

10 — O tori conclui o golpe.

Koshi-guruma para ouchi-gari

1 — Tori e uke fazem kumi-kata de direita.

2, 3, 4 e 5 — O tori aplica o koshi-guruma, mas o uke se defende, projetando o hara para a frente e flexionando levemente as pernas.

6, 7 e 8 — O tori aproveita o movimento que o uke faz para trás, bloqueando o koshi-guruma, e aplica o ouchi-gari.

9 — O tori conclui o golpe.

Koshi-guruma para soto-makikomi

1 — Tori e uke fazem kumi-kata de direita.

2, 3 e 4 — O tori aplica o koshi-guruma, mas o uke se defende projetando o hara para a frente. *5, 6 e 7* — O tori desenlaça o pescoço do uke e, com o mesmo braço, envolve-lhe o braço direito, vencendo o bloqueio com um soto-makikomi.

8 — O tori conclui o golpe.

Seoi-nage para kouchi-gari

1 — Tori e uke fazem kumi-kata de direita.

2, 3, 4 e 5 — O tori aplica o seoi-nage, mas o uke se esquiva do quadril do tori e escapa pela direita.

6, 7 e 8 — O tori aproveita a posição, diminui a distância e lhe aplica o kouchi-gari.

9 — O tori conclui o golpe.

Seoi-nage para seoi-otoshi

1 — Tori e uke fazem kumi-kata de direita.

2, 3 e 4 — O tori aplica o seoi-nage, mas o uke se defende, projetando o hara para a frente.

5 e 6 — O tori quebra-lhe a resistência dobrando o joelho direito e o puxa para baixo com ambas as mãos, realizando o seoi-otoshi.

7 — O tori conclui o golpe.

Seoi-nage para kata-guruma

1 — Tori e uke fazem kumi-kata de direita.

2, 3, 4 e 5 — O tori aplica o seoi-nage, mas o uke se esquiva, escapando pela direita.

6, 7, 8 e 9 — O tori, puxando a manga do uke para a frente, aproveita seu posicionamento para aplicar-lhe o kata-guruma.

10 — O tori conclui o golpe.

Ogoshi para tsuri-goshi

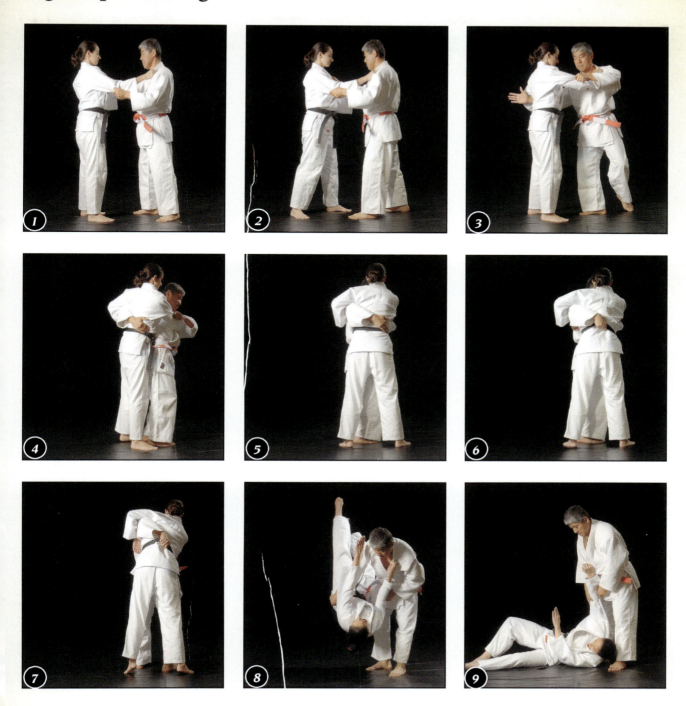

1 — Tori e uke fazem kumi-kata de direita.

2, 3, 4 e 5 — O tori aplica o ogoshi, mas o uke se esquiva, escapando pela direita.

6, 7 e 8 — O tori iça o uke pela faixa e rapidamente reposiciona o quadril, realizando o tsuri-goshi.

9 — O tori conclui o golpe.

Osoto-gari para osoto-otoshi

1 — Tori e uke fazem kumi-kata de direita.

2, 3, 4 e 5 — O tori aplica o osoto-gari, mas o uke projeta o tronco para a frente, resistindo momentaneamente ao ataque.

6 e 7 — O tori firma a perna direita no chão e, encontrando base e equilíbrio necessários, aplica o osoto-otoshi.

8 — O tori conclui o golpe.

Osoto-gari para harai-goshi

1 — Tori e uke fazem kumi-kata de direita.

2, 3, 4, 5 e 6 — O tori aplica o osoto-gari, mas o uke se defende, girando e buscando se posicionar às costas do tori.

7 e 8 — O tori firma a perna esquerda no tatame e a dobra sutilmente. Adapta o kuzushi do osoto-gari para harai-goshi, faz o mesmo com a perna direita e varre.

9 — O tori conclui o golpe.

Osoto-gari para osoto-guruma

1 — Tori e uke fazem kumi-kata de direita.

2, 3, 4, 5 e 6 — O tori aplica o osoto-gari, mas o uke se defende, recuando a perna esquerda.

7 e 8 — O tori estende a perna direita de modo a tanger as duas pernas do uke e gira o tronco, usando a perna como eixo, aplicando o osoto-guruma.

9 — O tori conclui o golpe.

RENRAKU-HENKA-WAZA | 175

Ouchi-gari para harai-goshi

1 — Tori e uke fazem kumi-kata de direita.

2, 3, 4 e 5 — O tori aplica o ouchi-gari, mas o uke se defende, resistindo à varrida e, simultaneamente, dando um passo atrás.

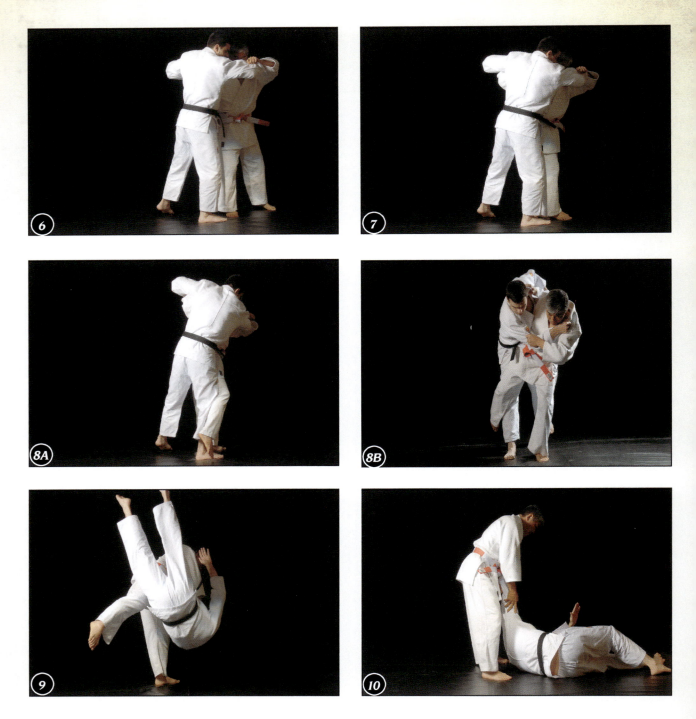

6, 7, 8A, 8B e 9 — O tori aproveita a reação do uke para a frente, para recobrar a postura, e lhe aplica o harai-goshi.

10 — O tori conclui o golpe.

Ouchi-gari para tai-otoshi

1 — Tori e uke fazem kumi-kata de direita.

2, 3, 4 e 5 — O tori aplica o ouchi-gari, mas o uke se defende, resistindo à varrida e, simultaneamente, dando um passo atrás.

6, 7 e 8 — O tori aproveita o esforço do uke para a frente, para recobrar a postura, e lhe aplica o tai-otoshi.

9 — O tori conclui o golpe.

Ouchi-gari para kuchiki-taoshi

1 — Tori e uke fazem kumi-kata de direita.

2, 3, 4 e 5 — O tori aplica o ouchi-gari, mas o uke se defende, resistindo à varrida e, simultaneamente, dando um passo atrás.

RENRAKU-HENKA-WAZA 179

6, 7 e 8 — O tori se aproveita da perna direita do uke avançada e a pega na altura do joelho, aplicando-lhe o kuchiki-taoshi.

9 — O tori conclui o golpe.

Detalhe 1

O tori pode aplicar o ouchi-gari e também pegar a perna direita do uke com a mão esquerda na altura do joelho, executando, assim, as duas técnicas (ouchi-gari e kuchiki-taoshi).

Detalhe 2

Outra alternativa é o tori, ao encaixar o ouchi-gari, auxiliar a varrida puxando com a mão direita a perna esquerda do uke.

Ouchi-gari para osoto-gari

1 — Tori e uke fazem kumi-kata de direita.

2, 3, 4 e 5 — O tori aplica o ouchi-gari, mas o uke se defende, resistindo à varrida e, simultaneamente, dando um passo atrás.

6, 7, 8 e 9 — O tori aproveita a perna direita do uke avançada, adianta a perna esquerda, realizando o kuzushi para a direita do uke, e lhe aplica o osoto-gari na perna direita.

10 — O tori conclui o golpe.

Ouchi-gari para kouchi-gari

1 — Tori e uke fazem kumi-kata de direita.

2, 3, 4 e 5 — O tori aplica o ouchi-gari, mas o uke se defende, resistindo à varrida e, simultaneamente, dando um passo atrás.

6, 7 e 8 — O tori se aproveita da perna direita do uke avançada e lhe aplica o kouchi-gari.

9 — O tori conclui o golpe.

Ouchi-gari para uchi-mata

1 — Tori e uke fazem kumi-kata de direita.

2, 3, 4 e 5 — O tori aplica o ouchi-gari, encaixa a perna, mas não consegue varrer a perna do uke, que se equilibra, inclinando levemente o dorso para a frente.

6 e 7 — O tori aproveita a perna já encaixada, a inclinação do uke para a frente e gira o corpo para aplicar o uchi-mata.

8 — O tori conclui o golpe.

Okuri-ashi-harai para osoto-gari

1 — Tori e uke fazem kumi-kata de direita.

2 — O tori aplica o okuri-ashi-harai na perna direita do uke, que consegue firmá-la no tatame, resistindo à varrida.

3, 4, 5, 6 e 7 — O tori aproveita o kuzushi realizado para a direita na aplicação do okuri-ashi-harai, apoia rapidamente a perna esquerda no tatame e aplica o osoto-gari.

8 — O tori conclui o golpe.

RENRAKU-HENKA-WAZA 185

Sasae-tsuri-komi-ashi para de-ashi-harai

1 — Tori e uke fazem kumi-kata de direita.

2, 3 e 4 — O tori aplica o sasae-tsuri-komi-ashi na perna esquerda do uke, que se defende, avançando a perna direita.

5, 6A, 6B e 7 — O tori aproveita a perna direita avançada e aplica com a perna esquerda o de-ashi-harai.

8 — O tori conclui o golpe.

Sasae-tsuri-komi-ashi para tai-otoshi

1 — Tori e uke fazem kumi-kata de direita.

2, 3 e 4 — O tori aplica o sasae-tsuri-komi-ashi na perna direita do uke, que se defende, firmando a perna no chão.

5, 6 e 7 — O tori aproveita que o uke mantém seu equilíbrio sobre a perna direita e aplica o tai-otoshi.

8 — O tori conclui o golpe.

Sasae-tsuri-komi-ashi para osoto-gari

1 — Tori e uke fazem kumi-kata de direita.

2, 3 e 4 — O tori aplica o sasae-tsuri-komi-ashi na perna esquerda do uke, que se defende, avançando a perna direita.

5, 6 e 7 — O tori aproveita a perna direita avançada e aplica o osoto-gari com a perna direita.

8 — O tori conclui o golpe.

Sasae-tsuri-komi-ashi para tsuri-komi-goshi

1 — Tori e uke fazem kumi-kata de direita.

2 e 3 — O tori aplica o sasae-tsuri-komi-ashi na perna direita do uke, que se defende, firmando-a no tatame.

4, 5A, 5B, 6 e 7 — O tori mantém o kuzushi para a frente e quebra a defesa do uke, encaixando o quadril, e aplica o tsuri-komi-goshi.

8 — O tori conclui o golpe.

Sode-tsuri-komi-goshi para harai-goshi

1 — Tori e uke fazem kumi-kata de direita.

2, 3A, 3B, 4A, 4B, 5A e 5B — O tori aplica o sode-tsuri-komi-goshi, mas o uke se esquiva, escapando pela direita.

6, 7A, 7B, 8, 9A e 9B — O tori, mantendo a pegada na manga, aproveita a posição do uke e aplica o harai-goshi de direita.

10A e 10B — O tori conclui o golpe.

Tai-otoshi para kouchi-gari

1 — Tori e uke fazem kumi-kata de direita.

2, 3, 4, 5 e 6 — O tori aplica o tai-otoshi, mas o uke escapa pela direita, passando a perna direita por cima da perna direita do tori.

7, 8, 9 e 10 — O tori aproveita a perna direita do uke avançada e aplica o kouchi-gari.

11 — O tori conclui o golpe.

Tsuri-komi-goshi para harai-goshi

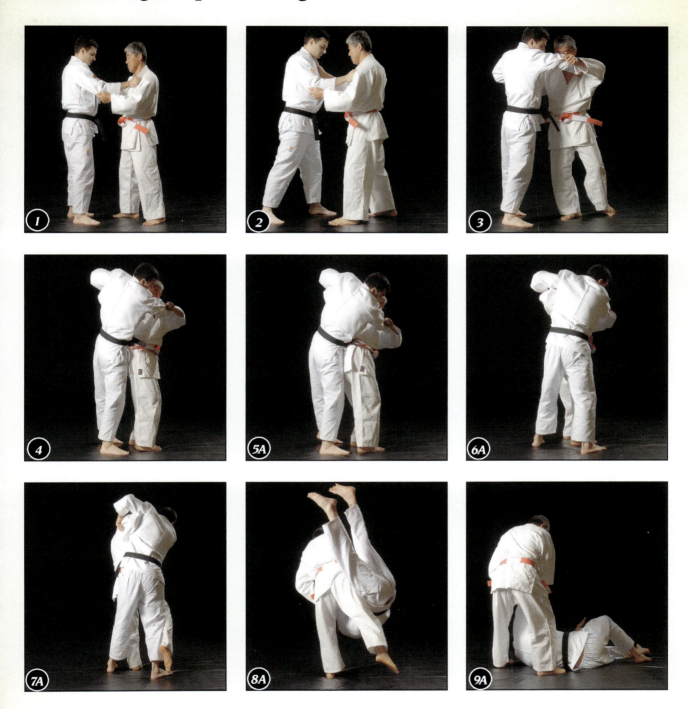

1 — Tori e uke fazem kumi-kata de direita.

2, 3, 4, 5A, 5B, 6A e 6B — O tori aplica o tsuri-komi-goshi, mas o uke escapa pela direita.

7A, 7B, 8A e 8B — O tori aproveita a posição favorável e, preservando o kuzushi para a frente, aplica o harai-goshi.

9A e 9B — O tori conclui o golpe.

Uchi-mata para kouchi-gari

1 — Tori e uke fazem kumi-kata de direita.

2, 3, 4, 5 e 6 — O tori aplica o uchi-mata, mas o uke se defende, projetando o hara para a frente.

7, 8 e 9 — O tori aproveita a força que o uke faz para trás e aplica na perna direita do uke o kouchi-gari.

10 — O tori conclui o golpe.

Uchi-mata para tai-otoshi

1 — Tori e uke fazem kumi-kata de direita.

2, 3, 4, 5 e 6 — O tori aplica o uchi-mata, mas não consegue projetar o uke, que se equilibra apenas sobre a perna direita.

7 e 8 — Rapidamente, o tori, mantendo o kuzushi, aplica o tai-otoshi na perna direita do uke.

9 — O tori conclui o golpe.

Uchi-mata para kosoto-gake

1 — Tori e uke fazem kumi-kata de direita.

2, 3, 4 e 5 — O tori aplica o uchi-mata, mas o uke se defende, projetando o hara para a frente.

6, 7, 8 e 9 — O tori utiliza a força que o uke faz para trás e aplica na perna esquerda dele o kosoto-gake com a perna direita.

10 — O tori conclui o golpe.

Uki-goshi para harai-goshi

1 — Tori e uke fazem kumi-kata de direita.

2, 3, 4 e 5 — O tori aplica o uki-goshi, mas o uke escapa parcialmente pela direita do tori.

6 e 7 — O tori, para não deixar o uke escapar do seu ataque, aplica o harai-goshi.

8 — O tori conclui o golpe.

De-ashi-harai para hiza-guruma

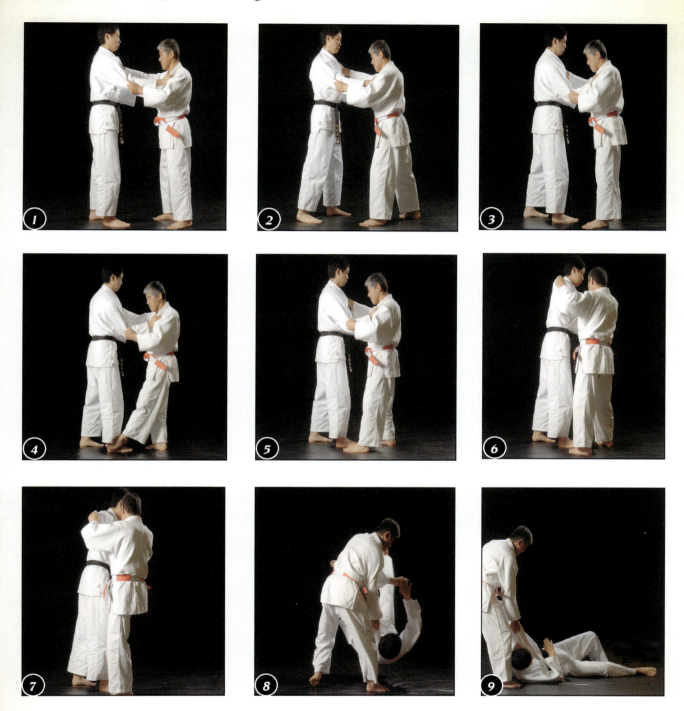

1 — Tori e uke fazem kumi-kata de direita.

2, 3 e 4 — O tori aplica o de-ashi-harai, mas o uke bloqueia o ataque.

5, 6, 7 e 8 — O tori, então, retoma a base e aplica, na perna esquerda do uke, o hiza-guruma.

9 — O tori conclui o golpe.

De-ashi-harai para yoko-gake

1ª Forma

1 — Tori e uke fazem kumi-kata de direita.

2, 3 e 4 — O tori aplica o de-ashi-harai, mas o uke resiste, num primeiro momento, ao ataque.

5 — Tori mantém a perna encaixada e deita-se para o lado trazendo consigo o uke, projetando-o com o yoko-gake.

6 — O tori conclui o golpe.

2ª Forma

1A e 1B — O tori aplica o de-ashi-harai, mas o uke resiste, em um primeiro momento, ao ataque.

2A e 2B — O tori trava o pé, encaixando-o no tornozelo do uke, e deita-se para a diagonal esquerda, mantendo a puxada e projetando o uke.

3A e 3B — O tori conclui o golpe.

Hiza-guruma para oguruma

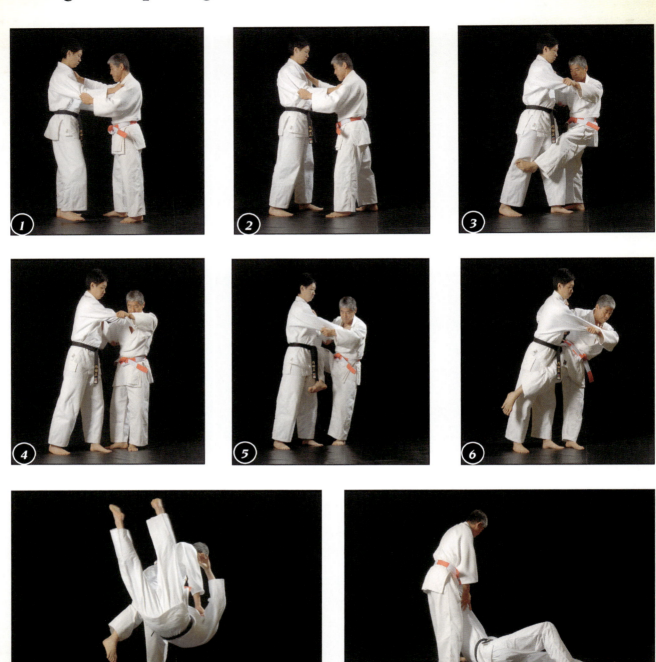

1 — Tori e uke fazem kumi-kata de direita.

2, 3 e 4 — O tori aplica o hiza-guruma na perna direita do uke, que se defende, avançando a perna esquerda.

5, 6 e 7 — O tori, então, aplica o oguruma, quebrando o bloqueio do uke.

8 — O tori conclui o golpe.

Hiza-guruma para harai-goshi

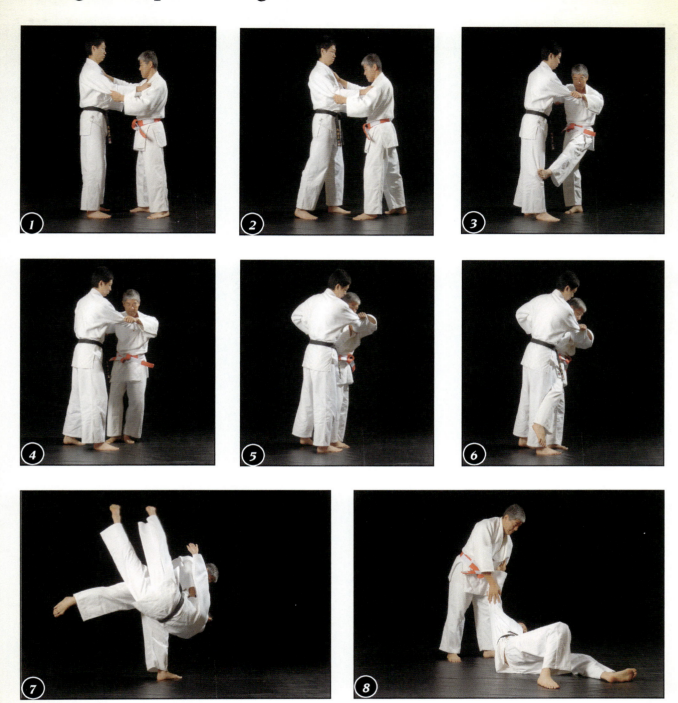

1 — Tori e uke fazem kumi-kata de direita.

2, 3 e 4 — O tori aplica o hiza-guruma na perna direita do uke, que resiste ao ataque.

5, 6 e 7 — Rapidamente, o tori gira e, aproveitando o kuzushi para a frente, aplica o harai-goshi.

8 — O tori conclui o golpe.

Hiza-guruma para ashi-guruma

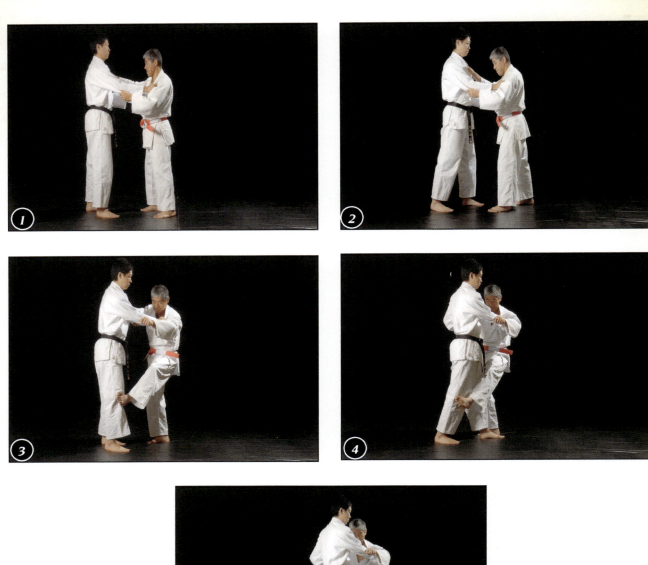

1 — Tori e uke fazem kumi-kata de direita.

2, 3, 4 e 5 — O tori aplica o hiza-guruma na perna direita do uke, que se defende, avançando a perna esquerda.

6, 7, 8 e 9 — O tori, então, estende a perna direita pouco abaixo do joelho, formando um eixo, e gira o tronco trazendo consigo o uke e realizando o ashi-guruma.

10 — O tori conclui o golpe.

Hiza-guruma para tai-otoshi

1 — Tori e uke fazem kumi-kata de direita.

2, 3 e 4 — O tori aplica o hiza-guruma na perna direita do uke, que consegue bloquear o ataque.

5, 6 e 7 — Rapidamente, o tori gira e, aproveitando o kuzushi para a frente, aplica o tai-otoshi no uke.

8 — O tori conclui o golpe.

Ippon-seoi-nage para sumi-gaeshi

1 — Tori e uke fazem kumi-kata de direita.

2, 3, 4 e 5 — O tori aplica o ippon-seoi-nage, mas o uke se defende do ataque, projetando o hara à frente e flexionando levemente as pernas.

6, 7, 8 e 9 — O tori vira rapidamente de frente para o uke, encaixa a perna direita na virilha esquerda dele e aplica o sumi-gaeshi, mantendo a pegada do ippon-seoi-nage.

10 — O tori conclui o golpe.

Ippon-seoi-nage para kata-guruma

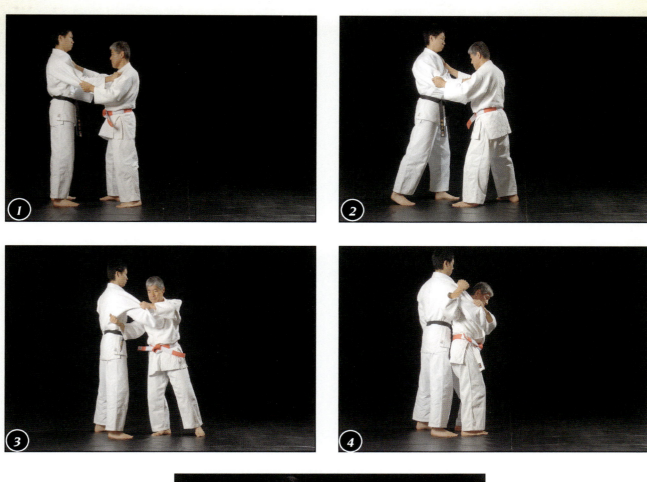

1 — Tori e uke fazem kumi-kata de direita.

2, 3, 4 e 5 — O tori aplica o ippon-seoi-nage, mas o uke escapa pelo lado esquerdo.

6 e 7 — O tori aproveita a movimentação do uke e com a mão esquerda agarra a perna esquerda do uke.

8 e 9 — Tendo o uke já praticamente às suas costas, o tori aplica o kata-guruma.

10 — O tori conclui o golpe.

Kata-guruma para uki-waza

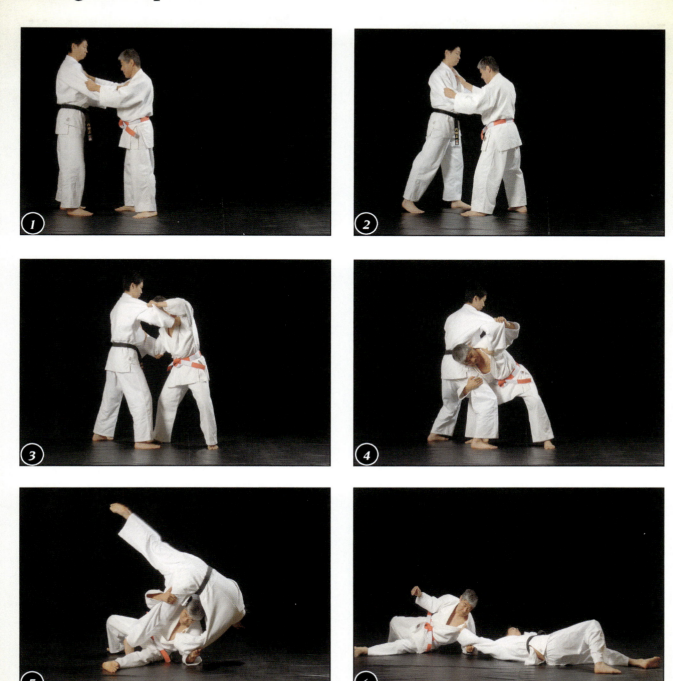

1 — Tori e uke fazem kumi-kata de direita.

2, 3 e 4 — O tori aplica o kata-guruma, mas o uke flexiona as pernas e impede que o tori o suspenda.

5 — O tori quebra a resistência deslizando a perna esquerda ao lado do uke e projetando-o diagonalmente sobre si.

6 — O tori conclui o golpe.

Kata-guruma para kuchiki-taoshi

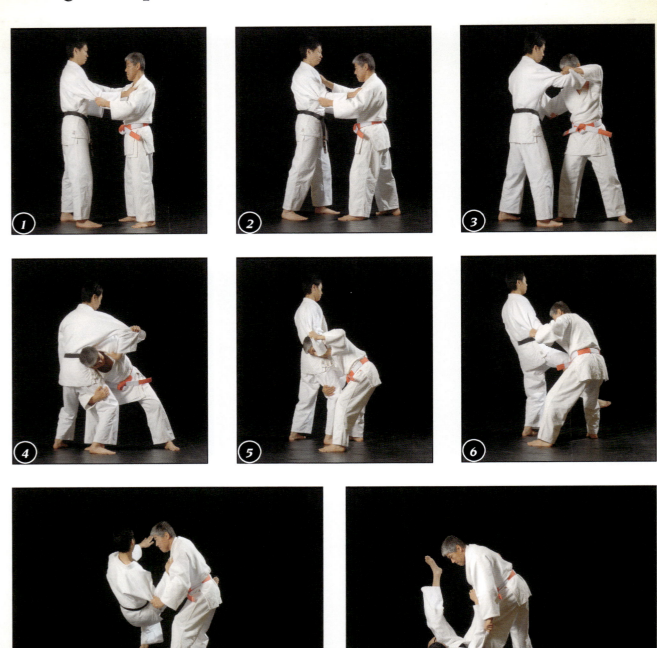

1 — Tori e uke fazem kumi-kata de direita.

2, 3 e 4 — O tori aplica o kata-guruma, mas o uke projeta o hara e bloqueia o ataque.

5, 6 e 7 — O tori aproveita a mão direita atrás do joelho do uke, avança a perna esquerda ao lado direito de seu oponente e aplica o kuchiki-taoshi.

8 — O tori conclui o golpe.

Kuchiki-taoshi para ouchi-gari

1 — Tori e uke fazem kumi-kata de direita.
2, 3, 4 e 5 — O tori aplica o kuchiki-taoshi na perna direita do uke, que consegue se equilibrar sobre a perna esquerda.
6 e 7 — O tori aproveita a proximidade e a vulnerabilidade do uke para aplicar o ouchi-gari em sua perna esquerda.
8 — O tori conclui o golpe.

Osoto-gari para tani-otoshi

1 — Tori e uke fazem kumi-kata de direita.

2, 3, 4 e 5 — O tori aplica o osoto-gari na perna direita do uke, que consegue conter o ataque, recuando a perna esquerda.

6 e 7 — O tori aproveita posição em que se encontra para aplicar o tani-otoshi.

8 — O tori conclui o golpe.

Osoto-gari para osoto-makikomi

1 — Tori e uke fazem kumi-kata de direita.

2, 3, 4 e 5 — O tori aplica o osoto-gari na perna direita do uke, que resiste ao ataque.

6 e 7 — O tori, mantendo a perna direita encaixada, solta a mão direita da gola do uke e passa o braço direito sobre o ombro direito do uke para, em seguida, deitar-se girando o tronco e trazendo consigo o uke.

8 — O tori conclui o golpe.

Osoto-gari para ashi-guruma

1 — Tori e uke fazem kumi-kata de direita.

2, 3 e 4 — O tori entra com o osoto-gari, mas, antes que consiga encaixar a perna, o uke recua a perna direita para se defender e, imediatamente, o tori forma o eixo com a perna direita — que faria a varrida do osoto-gari —, gira o corpo para a frente e aplica o ashi-guruma.

5 e 6 — O tori projeta o uke.

7 — O tori conclui o golpe.

Ouchi-gari para tomoe-nage

1 — Tori e uke fazem kumi-kata de direita.

2, 3, 4, 5 e 6 — O tori entra com o ouchi-gari, mas o uke se defende, resistindo à varrida e recuando.

7 e 8 — O tori aproveita a força que o uke faz para a frente para manter o equilíbrio e aplica-lhe o tomoe-nage.

9 — O tori conclui o golpe.

Ouchi-gari para harai-tsuri-komi-ashi

1 — Tori e uke fazem kumi-kata de direita.

2, 3, 4A, 4B e 5 — O tori entra com o ouchi-gari, mas o uke se defende, resistindo à varrida e afastando a perna esquerda.

6, 7 e 8 — O tori aproveita a perna direita do uke avançada, adianta bem a perna direita e aplica o harai--tsuri-komi-ashi.

9 — O tori conclui o golpe.

Sasae-tsuri-komi-ashi para ashi-guruma

1 — Tori e uke fazem kumi-kata de direita.

2, 3, 4 e 5 — O tori entra com o sasae-tsuri-komi-ashi de direita, mas o uke se defende, avançando a perna esquerda.

6, 7 e 8 — O tori volta rapidamente a perna esquerda, estende a perna direita à frente do uke — um pouco abaixo do joelho — e gira o tronco, aplicando o ashi-guruma.

9 — O tori conclui o golpe.

Sasae-tsuri-komi-ashi para harai-goshi

1 — Tori e uke fazem kumi-kata de direita.

2, 3 e 4 — O tori realiza o sasae-tsuri-komi-ashi com a perna esquerda, mas o uke resiste ao ataque do tori.

5, 6 e 7 — O tori volta rapidamente a perna esquerda, aproveita a movimentação frontal do uke e aplica o harai-goshi.

8 — O tori conclui o golpe.

Sasae-tsuri-komi-ashi para kouchi-gari

1 — Tori e uke fazem kumi-kata de direita.

2, 3 e 4 — O tori entra o sasae-tsuri-komi-ashi, mas o uke vence o calço do tori e avança a perna direita.

5, 6, 7 e 8 — O tori volta a perna esquerda, deixando-a próxima de seu calcanhar direito, e aproveita a perna direita avançada do uke para aplicar o kouchi-gari de direita.

9 — O tori conclui o golpe.

Tai-otoshi para sasae-tsuri-komi-ashi

1 — Tori e uke fazem kumi-kata de direita.

2, 3, 4, 5 e 6 — O tori entra com o tai-otoshi, mas o uke escapa, passando a perna direita por cima da perna direita do tori.

7 e 8 — O tori aproveita a perna direita avançada do uke e aplica o sasae-tsuri-komi-ashi.

9 — O tori conclui a sequência.

Uchi-mata para sumi-gaeshi

1 — Tori e uke fazem kumi-kata de direita.

2, 3, 4, 5 e 6 — O tori entra com o uchi-mata, mas o uke se defende com o hara e flexiona levemente as pernas.

7, 8 e 9 — O tori vira rapidamente de frente para o uke, aproveita a perna posicionada entre as pernas dele, encaixa-a em sua virilha e aplica o sumi-gaeshi.

10 — O tori conclui a sequência.

CAPÍTULO 7

NAGE-NO-KATA

Nage-no-kata

Poderíamos entender nage-no-kata como "formas fundamentais de projeção". Esse kata se constitui essencialmente das técnicas de projeção encontradas no Gokyo e se divide em cinco séries, cada uma composta por três golpes diferentes, embora todos da mesma "família".

Assim, na primeira série, os três primeiros golpes são todos te-waza (técnicas de mão).
Uki-otoshi
Seoi-nage
Kata-guruma

A segunda série é composta por golpes de koshi-waza (técnicas de quadril).
Uki-goshi
Harai-goshi
Tsurikomi-goshi

A terceira, por ashi-waza (técnicas de perna).
Okuri-ashi-harai
Sasae-tsurikomi-ashi
Uchi-mata

A quarta, por masutemi-waza (técnicas de sacrifício).
Tomoe-nage
Ura-nage
Sumi-gaeshi

A quinta, por yoko-sutemi-waza (técnicas de sacrifício com projeção lateral).
Yoko-gake
Yoko-guruma
Uki-waza

Saudação inicial

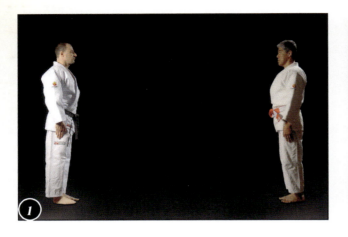 

1 e 2 — O tori, do lado direito do joseki (local onde ficam as autoridades), e o uke realizam o ritsu-rei, saudação em pé, para entrar na área de apresentação. Depois, os judocas avançam simultaneamente até estabelecerem entre si uma distância de 5,8 metros.

3 — Tori e uke se viram para o joseki e fazem ritsu-rei.

4 — Tori e uke voltam a ficar de frente um para o outro, assumem posição de seiza e realizam o za-rei.

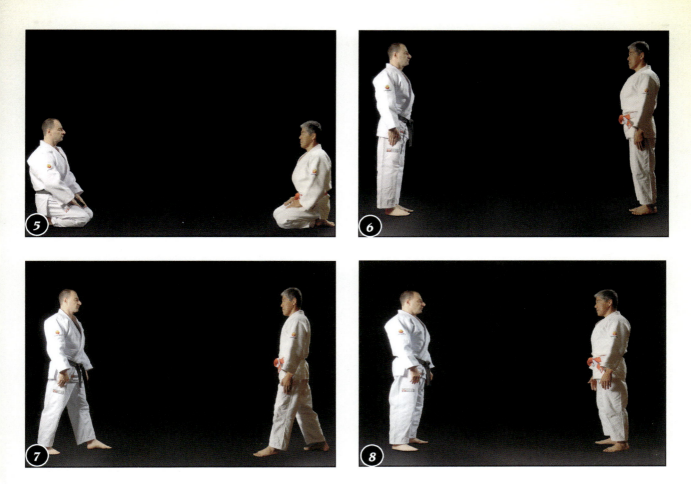

5, 6, 7 e 8 — Tori e uke se põem de pé em chokuritsu, avançam sincronizadamente a perna esquerda, depois a direita, e se posicionam em shizen-hontai.

Te-waza

Uki-otoshi

De direita

1 — Depois do shizen-hontai, o tori caminha em suri-ashi na direção do uke, que por sua vez avança a passos curtos, até ficarem a aproximadamente 60 centímetros de distância um do outro.

2 e 3 — O uke toma a iniciativa, levantando os braços para fazer o kumi-kata. O tori responde à pegada, recua a perna esquerda e depois a direita em tsugi-ashi (passo e sobrepasso), trazendo consigo o uke que avança também em tsugi-ashi — primeiro a perna direita e depois a esquerda.

4 — Simultaneamente ao terceiro passo, o tori puxa o uke à sua diagonal esquerda, enquanto ajoelha a perna esquerda, realizando o uki-otoshi.

5 e 6 — O tori projeta o uke.

De esquerda

O mesmo procedimento anterior deve ser realizado pelos judocas com o kumi-kata de esquerda. Neste caso, contudo, o tori se posiciona à esquerda do joseki.

Seoi-nage

De direita

1 — Depois de executarem o uki-otoshi de direita e de esquerda, tori e uke se posicionam frontalmente a uma distância de aproximadamente 1,80 metro um do outro e no centro da área de apresentação.

2 — O uke avança a perna esquerda e ergue o braço direito, como se estivesse pronto a desferir um golpe contra o tori.

3 — O uke avança a perna direita e desfere o golpe com o braço direito, lançando seu punho cerrado contra a cabeça do tori, que, avançando sua perna direita para a frente da do uke, bloqueia o golpe com o braço esquerdo.

4 — O tori encaixa o quadril, flexiona levemente as pernas e prende o braço direito do uke com seu braço direito, colocando-o sobre o seu ombro.

5 e 6 — O tori conclui a técnica, estendendo as pernas e fazendo a projeção do uke por cima do seu ombro direito.

De esquerda

O mesmo procedimento anterior deve ser realizado pelos judocas de esquerda. Neste caso, contudo, o tori se posiciona à esquerda do joseki.

Kata-guruma

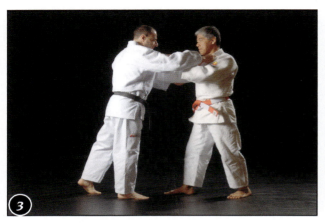

De direita

1 — Após executar o seoi-nage, ambos se posicionam a aproximadamente 60 centímetros de distância um do outro, na marca de shizen-hontai do uke — à esquerda da área de apresentação —, com o uke à esquerda e o tori à direita.

2 — O uke toma a iniciativa, levantando os braços para fazer o kumi-kata. O tori responde à pegada, recua a perna esquerda e depois a direita em tsugi-ashi, trazendo consigo o uke que avança também em tsugi-ashi; primeiro, a perna direita e, depois, a esquerda.

3 — No segundo passo, o tori muda a pegada da manga, fazendo-a por dentro.

4 e 5 — No terceiro, o tori dá um passo maior, lateralmente, com a perna esquerda e, ao mesmo tempo, faz o kuzushi na manga. Ele inclina o tronco e encaixa o ombro direito na coxa direita do uke e o pescoço na altura da faixa.

6 — O tori ergue o uke nos ombros e aproxima a perna esquerda da direita, preservando-se em shizen-hontai. Enquanto isso, o uke enrijece o corpo, mantendo-o ereto, e escora a mão direita nas costas do tori, para ajudar a manter o equilíbrio.

7 e 8 — O tori projeta o uke, puxando a manga para baixo e para si, à sua diagonal esquerda.

De esquerda

O mesmo procedimento anterior deve ser realizado de esquerda. Neste caso, contudo, o tori se posiciona à esquerda do joseki.

Após terminarem a série de te-waza, ambos voltam à posição de shizen-hontai para arrumar o jodogi.

Koshi-waza

Uki-goshi

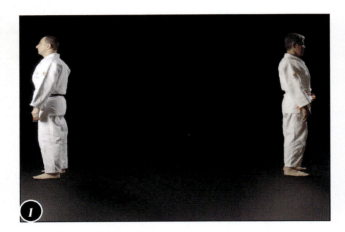

De esquerda

1 — Tori e uke arrumam o judogi, de costas um para o outro, para dar início à segunda série de golpes.

2 — Depois de se recomporem, tori e uke viram-se de frente um para o outro e avançam, juntos, até estarem a uma distância de 1,80 metro.

3 — Sem interromper o deslocamento, o uke avança a perna esquerda e ergue o braço direito, como se estivesse pronto a desferir um golpe contra o tori.

4A e 4B — O uke avança a perna direita e desfere o golpe, mas o tori, rapidamente, entra por baixo do braço direito dele, envolve-lhe a cintura com o braço esquerdo, segura seu braço esquerdo com a mão direita e simultaneamente encaixa o quadril.

5A, 5B, 6A e 6B — O tori faz o giro de quadril, realizando o uki-goshi de esquerda e projetando o uke.

De direita

O mesmo procedimento anterior deve ser realizado de direita. Neste caso, contudo, o tori se posiciona à esquerda do joseki.

Vale observar que este é o único golpe do nage-no-kata que é aplicado primeiramente de esquerda.

Harai-goshi

De direita

1 — Ambos se posicionam a aproximadamente 60 centímetros de distância um do outro, na marca de shizen-hontai do uke, com o uke à esquerda e o tori à direita.

2 — O uke toma a iniciativa, levantando os braços para fazer o kumi-kata. O tori responde à pegada, recua a perna esquerda e depois a direita em tsugi-ashi, trazendo consigo o uke que avança também em tsugi-ashi — primeiro, a perna direita e, depois, a esquerda.

3 — No segundo passo, o tori muda a pegada da mão direita da gola para a escápula do uke, passando o braço por baixo de sua axila.

4 — O terceiro passo é menor e funciona para o tori como um giro de pernas e quadril, que lhe permite virar de costas para o uke, firmar a perna esquerda e preparar a perna direita para a varrida.

5 — O tori faz o kuzushi para a sua diagonal esquerda, colando a lateral de seu tronco no peito do uke e varre com a perna direita, estendida na linha do joelho do uke, realizando o harai-goshi.

6 e 7 — O tori projeta o uke.

De esquerda

O mesmo procedimento anterior deve ser realizado de esquerda. Neste caso, contudo, o tori se posiciona à esquerda do joseki.

Tsuri-komi-goshi

De direita

1 — Ambos se posicionam a aproximadamente 60 centímetros de distância um do outro, na marca de shizen-hontai do uke, com o uke à esquerda e o tori à direita.

2 e 3 — O uke toma a iniciativa, levantando os braços para fazer o kumi-kata. O tori responde à pegada, segurando na gola do uke com a mão direita atrás do pescoço. Quase ao mesmo tempo, o tori recua a perna esquerda e depois a direita em tsugi-ashi, trazendo consigo o uke que avança também em tsugi-ashi; primeiro, a perna direita e, depois, a esquerda.

4 e 5 — No terceiro passo, o tori coloca o seu pé direito na frente do pé direito do uke e gira, deixando seu pé esquerdo paralelo ao direito. O uke faz a defesa com o hara, mas o tori, com as pernas bem flexionadas, encaixa o quadril na altura da coxa do uke.

6 e 7 — O tori faz o kuzushi para a frente e aplica o tsuri-komi-goshi para projetar o uke.

De esquerda

O mesmo procedimento anterior deve ser realizado de esquerda. Neste caso, contudo, o tori se posiciona à esquerda do joseki.

Após terminarem a série de koshi-waza, ambos voltam à posição de shizen-hontai para arrumar o jodogi.

Ashi-waza

Okuri-ashi-harai

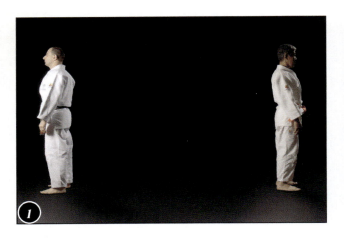

De direita

1 — Tori e uke arrumam o judogi, de costas um para o outro, para darem início à terceira série de golpes.

2 — Tori e uke avançam sincronizadamente para o centro da área de apresentação, até se posicionarem a uma distância de 30 centímetros um do outro aproximadamente.

3A, 3B, 4A e 4B — Uke e tori fazem kumi-kata de direita, dão um primeiro passo mais cadenciado em tsugi-ashi lateral para a direita e, aumentando a velocidade, dão mais dois passos, culminando o terceiro na aplicação do okuri-ashi-harai por parte do tori, que acompanha o movimento da perna direita do uke para atingi-la no instante em que está bem próxima da esquerda.

5A, 5B, 6A e 6B — O tori projeta o uke.

De esquerda

O procedimento anterior deve ser realizado de esquerda. Neste caso, tori e uke mantêm a mesma posição.

Sasae-tsuri-komi-ashi

De direita

1 — O tori, à direita, e o uke, à esquerda, se posicionam à esquerda do joseki, a aproximadamente 60 centímetros de distância um do outro.

2 — O uke toma a iniciativa, levantando os braços para fazer o kumi-kata. O tori responde à pegada, recua a perna esquerda e depois a direita em tsugi-ashi, trazendo consigo o uke que avança também em tsugi-ashi; primeiro, a perna direita e, depois, a esquerda.

3 e 4 —Assim que completa o segundo passo, o tori sai um pouco para a direita, virando o pé diagonalmente em relação ao uke, e, no momento em que o uke avança a perna direita, o calça com o pé esquerdo na parte frontal do tornozelo direito.

5 e 6 — Mantendo a puxada à frente, o tori completa o sasae-tsuri-komi-ashi, projetando o uke.

De esquerda

O mesmo procedimento anterior deve de ser realizado de esquerda. Neste caso, contudo, o tori se posiciona à esquerda do joseki.

Uchi-mata

De direita

1 — Tori e uke se posicionam frontalmente no centro do dojo, a uma distância de aproximadamente 80 centímetros um do outro.

2 — Tori e uke avançam a perna direita e fazem kumi-kata em migi-shizen-tai.

3 e 4 — O tori dá um passo na direção do uke, com a perna esquerda e depois com a direita, puxando o uke, que, por sua vez, dá um passo à frente com a perna esquerda, trazendo depois a direita, e assim ambos trocam de lugar em um movimento circulatório. Fazem mais uma vez o mesmo movimento.

5 — No terceiro movimento, o tori avança meio passo com a perna esquerda, puxando o uke e, no momento em que o uke avança a perna esquerda, o tori engancha a perna direita na altura da virilha esquerda do uke e aplica o uchi-mata.

6 e 7 — O tori projeta o uke.

De esquerda

O mesmo procedimento anterior deve ser realizado de esquerda. Neste caso, contudo, o tori se posiciona à esquerda do joseki.

Após terminarem a série de ashi-waza, ambos voltam à posição de shizen-hontai para arrumar o jodogi.

Masutemi-waza

Tomoe-nage

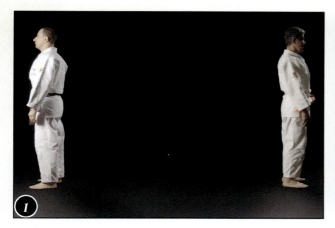

De direita

1 — Tori e uke arrumam o judogi de costas um para o outro, para darem início à quarta série de golpes.

2 — Depois de se recomporem, tori e uke se dirigem ao centro da área de apresentação e param de frente um para o outro a uma distância de 80 centímetros aproximadamente.

3 — Tori e uke avançam a perna direita e fazem kumi-kata em migi-shizen-tai.

4 e 5 — O tori inicia avançando a perna direita e empurrando o uke, que recua a perna esquerda. Depois, avança a esquerda e leva o uke a recuar a direita.

6 — No terceiro passo, o tori avança a direita, o uke recua a esquerda, para enfim resistir ao avanço do tori.

7 e 8 — O tori muda a pegada da manga para a gola direita do uke, puxa-o para a frente, traz a perna esquerda paralelamente à direita, mantendo--as flexionadas; o uke avança a perna esquerda, mantendo-a em shizen-hontai, e o tori encaixa o pé direito no nó da faixa do uke para logo aplicar o tomoe-nage.

9 e 10 — O tori projeta o uke que, antes de cair, avança a perna direita para fazer o mae-mawari--ukemi, já se levantando ao fim do movimento.

De esquerda

O mesmo procedimento anterior deve ser realizado de esquerda. Neste caso, contudo, o tori se posiciona à esquerda do joseki.

Ura-nage

De direita

1 — Tori e uke avançam juntos até estarem a uma distância de 1,80 metro, aproximadamente, e no centro da área de apresentação.

2 — Sem interromper o movimento, o uke avança a perna esquerda e ergue o braço direito, pronto para desferir um golpe contra o tori.

3 — O uke avança a perna direita e desfere o golpe. O tori, avançando primeiro a perna esquerda e depois a direita, ambas flexionadas, entra rapidamente por baixo do braço direito do uke, envolvendo sua cintura pelas costas com o braço esquerdo e espalmando a mão direita contra o abdômen do uke.

4 e 5 — Com bastante explosão, o tori ergue o uke e o projeta por cima da sua cabeça, realizando o ura-nage. Por sua vez, o uke, antes de ser projetado, apoia a mão esquerda na altura dos bíceps do tori, para facilitar o ukemi.

6 — Tori e uke terminam o movimento. Vale lembrar a importância da boa execução da queda por parte do uke para evitar lesões.

De esquerda

O mesmo procedimento anterior deve ser realizado de esquerda. Neste caso, contudo, o tori se posiciona à esquerda do joseki.

Sumi-gaeshi

De direita

1 — Tori e uke se posicionam de frente um para o outro, a uma distância de 90 centímetros e à esquerda da área de apresentação.

2 e 3 — Tori e uke avançam a perna direita e fazem o kumi-kata em migi-jigotai. Em seguida, o tori recua a perna direita, trazendo consigo o uke, que avança a perna esquerda. Ambos mantêm a posição de jigotai.

4 — No segundo passo, o tori recua a perna esquerda, trazendo-a quase paralelamente à direita, enquanto o uke avança a perna direita, mantendo-a em jigotai. Em seguida, o tori faz o kuzushi à frente.

5 e 6 — O tori encaixa a parte superior do seu pé direito na parte interna da coxa do uke.

7 e 8 — Deitando-se para trás, o tori aplica o sumi-gaeshi no uke, que, antes de ser projetado, avança a perna direita e vira o braço direito, de modo a deixar a palma da mão voltada para fora e realizar o mae-mawari-ukemi.

9 — O uke termina o golpe em pé.

Conduzido pelo tori, o uke avança a perna direita para realizar corretamente o mae-mawari-ukemi. O uke termina o movimento em pé.

De esquerda
O mesmo procedimento anterior deve ser realizado de esquerda. Neste caso, contudo, o tori se posiciona à esquerda do joseki.

Após terminarem a série de masutemi-waza, ambos voltam à posição de shizen-hontai para arrumar o jodogi.

Yoko-sutemi-waza

Yoko-gake

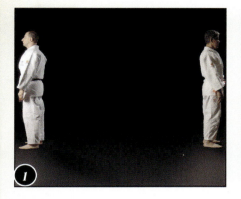

De direita

1 — Tori e uke arrumam o judogi de costas um para o outro para darem início à quinta série de golpes.

2 — Tori e uke se aproximam e se posicionam de frente um para o outro, a uma distância de 60 centímetros, e à esquerda da área de apresentação.

3 — O uke toma a iniciativa levantando os braços para fazer o kumi-kata. O tori responde à pegada, recua a perna esquerda e depois a direita em tsugi-ashi, trazendo consigo o uke que avança também em tsugi-ashi; primeiro, a perna direita e, depois, a esquerda.

4, 5, 6A e 6B — No terceiro passo, o tori faz o kuzushi à frente e para a diagonal esquerda, usando ambas as mãos. O uke, por sua vez, mantém o corpo ereto.

7, 8 e 9 — O tori encaixa a perna esquerda na altura do tornozelo direito, do uke, mantendo o kuzushi e deita para o lado, derrubando o uke.

10A e 10B — O tori projeta o uke deitando-se ao seu lado lateralmente.

De esquerda

O mesmo procedimento anterior deve ser realizado de esquerda. Neste caso, contudo, o tori se posiciona à esquerda do joseki.

Yoko-guruma

De direita

1 — Tori e uke se posicionam de frente um para o outro, a uma distância de 1,80 metro, e no centro da área de apresentação.

2 — O uke avança a perna esquerda e ergue o braço direito, pronto a desferir um golpe contra o tori.

3 — O uke avança a perna direita e desfere o golpe. O tori, avançando primeiro a perna esquerda e depois a direita, ambas flexionadas, entra rapidamente por debaixo do braço direito do uke, envolvendo sua cintura pelas costas com o braço esquerdo e espalmando a mão direita contra o abdômen do uke, como se fosse aplicar o ura-nage.

4 — O uke se defende, inclinando o tronco para a frente.

5 — O tori então desliza o pé no tatame e posiciona a perna direita entre as pernas do uke, para em seguida, firmando o pé direito no chão, aplicar o yoko-guruma, projetando o uke sobre seu ombro esquerdo diagonalmente. Antes da projeção, o uke apoia a mão esquerda na altura dos bíceps do tori para facilitar o ukemi.

6 — O uke termina a técnica em pé, depois de realizar o mae-mawari-ukemi.

De esquerda

O mesmo procedimento anterior deve ser realizado de esquerda. Neste caso, contudo, o tori se posiciona à esquerda do joseki.

Uki-waza

De direita

1 — Tori e uke se posicionam de frente um para o outro, a uma distância de 90 centímetros, e à esquerda da área de apresentação.

2 e 3 — Tori e uke avançam a perna direita e fazem o kumi-kata em migi-jigotai. Em seguida, o tori recua a perna direita fazendo o kuzushi para o mesmo lado, trazendo consigo o uke, que avança a perna esquerda. Ambos mantêm a posição de jigotai.

4 — No segundo passo, quando o uke tenta recobrar o equilíbrio, o tori recua a perna esquerda e, em seguida, estende-a diagonalmente.

5 — Fazendo o kuzushi para a diagonal esquerda, deita-se na mesma direção, fazendo com que o uke encaixe a perna direita na altura da sua virilha esquerda.

6 e 7 — Conduzido pelo tori, o uke avança a perna direita e, para realizar corretamente o mae-mawari-ukemi, vira o braço direito de modo a deixar a palma da mão voltada para fora. O uke termina o movimento em pé.

De esquerda

O mesmo procedimento anterior deve ser realizado de esquerda. Neste caso, contudo, o tori se posiciona à esquerda do joseki.

Por que iniciar o nage-no-kata avançando primeiro a perna esquerda

Vale destacar que o avanço da perna esquerda tem um valor simbólico: como a maioria das pessoas é destra, o judoca que avança primeiro a perna esquerda estaria dando uma demonstração de confiança ao expor para o "adversário" seu lado mais frágil.

Saudação final

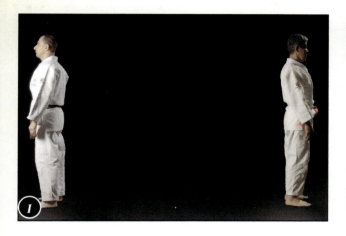 

1 — Tori e uke voltam à posição de shizen-hontai, a quatro metros de distância entre si, para arrrumar o judogi.

2, 3 e 4 — Viram-se de frente um para o outro, recuam um passo com a perna direita e depois com a esquerda, ficando em chiokuritsu.

5 e 6 — Em seguida, tomam posição de sei-za e fazem o za-rei.

7 — Levantam-se, viram-se de frente para o shomen e fazem o ritsu-rei.

8 — Saem da área de apresentação e fazem o ritsu-rei.

CONCLUSÃO

O judô é grande nos detalhes técnicos, no conceito e na abrangência territorial. São milhões de praticantes em todo o mundo, mas nem todos se dão conta de todo o valor que tem. Este primeiro volume do *Uruwashi* tem como propósito justamente lançar luz sobre suas bases filosóficas, históricas e morais e sobre suas técnicas; enfim, conferir ao judô o valor merecido. Concluída e cumprida a primeira etapa, avançamos na rica estrutura que compõe o forte e flexível edifício dessa arte marcial, por meio dos próximos volumes desta obra.

No volume 2, o leitor conhecerá os contragolpes (kaeshiwaza) da luta em pé e mergulhará no segundo dos dois grandes grupos técnicos predominantes no judô, o katamewaza (técnicas de solo). Conhecendo esse grupo, ele poderá compreender as técnicas empregadas nos dois kata apresentados também no segundo tomo: katame-no-kata e kime-no-kata. O primeiro reproduz as técnicas fundamentais da luta de solo, enquanto o segundo, as técnicas de autodefesa, incluindo até mesmo golpes de atemiwaza (técnicas de impacto, como socos e chutes), além das de nagewaza e katamewaza.

O conteúdo conceitual do próximo volume traz a história do judô no Brasil. O leitor saberá, entre outras coisas, que o judô aportou no País com os primeiros imigrantes japoneses. Saberá que, num primeiro momento, a prática ficou restrita às colônias agrárias nipônicas, resistentes à ideia de compartilhar seus conhecimentos marcias com brasileiros, e que só nas gerações seguintes (já formada por nipo-brasileiros) isso se modificou. Saberá da ajuda valiosa na disseminação do esporte no Brasil dada por judocas dispostos a participar de desafios contra praticantes de outras modalidades de luta... Enfim, saberá como e quais foram os homens responsáveis por tornar o Brasil uma potência do esporte, cujos judocas se fazem notar por um estilo vistoso, admirável e muito parecido com o da escola japonesa. Em resumo, esperamos reencontrá-lo, leitor, no próximo livro. Razões para isso nos parece não faltar.

Sensei Rioiti Uchida (6º dan)

Sensei Rioiti Uchida nasceu na cidade de Tapiraí, interior de São Paulo, de onde saiu para a capital do estado aos 14 anos. "Não sabia o que queria nem o que encontraria, mas achava que não podia ser menos do que era em Tapiraí. Por isso vim." Em São Paulo, descobriu, na prática, o judô, e encontrou na arte marcial o caminho que precisava para viver como queria, preservando os valores e os princípios que tinha. Seu sensei foi ninguém mais nem menos que Chiaki Ishii, lenda do judô brasileiro, responsável pela primeira medalha olímpica do País na modalidade (medalha de bronze), em 1972, em Munique, Alemanha.

Em São Paulo, Uchida casou-se e teve dois filhos (ambos judocas e faixas-pretas hoje) e encontrou outras pessoas importantes para sua incrível trajetória no judô, como os senseis Massao Shinohara e Mario Matsuda, que, com seus profundos conhecimentos técnicos, ajudaram Uchida e sensei Luis Alberto dos Santos a se tornarem uma das melhores duplas de kata da história do esporte em todo o mundo.

"O judô se transforma o tempo todo do ponto de vista técnico. Mas, por meio do kata, mantém sua raiz técnica. O kata é o judô como Jigoro Kano o concebeu; é a forma original, a fonte, criada justamente para que nós, judocas, não nos esqueçamos de suas raízes." O primeiro contato de Uchida com o kata foi em 1983 e o primeiro título mundial de kata veio 18 anos depois, em Phoenix, Estados Unidos. Hoje são 15 títulos mundiais de kata, sem contar as dezenas de títulos pan-americanos, sul-americanos, brasileiros, paulistas e de Jogos Abertos do Interior.

Uchida não se envaidece dessas conquistas, porque tem certeza de que o judô permite e deseja que seus praticantes alcancem conquistas maiores. "Todo professor quer que seus alunos vençam campeonatos. Eu não sou diferente. Mas tenho consciência de que há vitórias maiores. Cada pessoa tem seus próprios limites, e minha função, como professor, é auxiliá-las a superá-los. Superar o próprio limite é a maior vitória que se pode alcançar."

Talvez essa mentalidade justifique a honraria que recebeu do Kodokan, instituição-mãe do judô, fundada por sensei Jigoro Kano em 1882. Uchida foi reconhecido pela entidade como 6º dan, mesma graduação que lhe é conferida pela Federação Paulista de Judô (FPJ). Tal reconhecimento do Kodokan é raro, já que a instituição, com sede em Tóquio, costuma conferir aos judocas uma graduação abaixo daquela conferida pelas federações locais.

Em 2013, sensei Uchida participou no Kodokan de curso de aprimoramento de todos os kata. Também foi indicado para representar a pan-américa na Comissão de Kata da Federação Internacional de Judô (FIJ) no campeonato mundial realizado em Kyoto, no Japão.

Sensei Rodrigo Guimarães Motta (5º dan)

Campeão pan-americano, tetracampeão sul-americano e brasileiro como Grand Masters (veterano). Esses são apenas alguns dos títulos conquistados pelo paulistano Rodrigo Guimarães Motta, que também tem títulos brasileiros e sul-americanos de kata. Há muitas outras conquistas no tatame, mas falar de todas é inviável, não nos sobraria espaço para contar um pouco de sua rica história.

Motta é um bom exemplo de pessoa capaz de vencer suas próprias limitações, mesmo aquelas que não tinha antes de uma intervenção desastrosa do destino. Aos 29 anos, sofreu um grave acidente que levou alguns dos médicos que consultou a vaticinarem a inoperância quase completa de sua perna esquerda, o que o obrigaria a usar muletas ou cadeira de rodas pelo resto da vida. "Em outras palavras, eu estava fadado a nunca mais pisar num tatame, pelo menos não como desejava."

Mas, graças a sua fé inabalável na capacidade de superar desafios e sua ojeriza ao conformismo, ele procurou solução e a encontrou com a ajuda do médico e judoca Wagner Castropil. Foram oito cirurgias, sete anos de fisioterapia e o retorno aos tatames. Foi depois dessa vitória (a maior de sua carreira) que ele conquistou os títulos citados no primeiro parágrafo, o que, sem dúvida, os tornam ainda mais significativos.

"Amo a cultura samurai, mas um princípio em especial me encanta bastante: o do uruwashi, segundo o qual um homem precisa cultivar com igual importância habilidades culturais e marciais." Motta é autor de livros, como *Esportismo* (escrito com Wagner Castropil, no qual trata do impacto positivo do esporte no cotidiano pessoal e profissional de homens e mulheres), e um dos organizadores da obra *Cartas de um amor à moda antiga*, em que compilou cartas trocadas entre seus avós José e Edith Motta, em 1936.

Ainda no mundo das letras, Motta também encontrou meios de unir sua paixão pelos livros, pelos estudos e por sua área de atuação profissional para participar como coautor da obra *Trade marketing:* teoria e prática para gerenciar os canais de distribuição. Formado em Administração Pública, com pós-graduação em Marketing e em Varejo e mestrado em Administração e Planejamento, Motta tem uma vida profissional agitada e empreendedora. Atualmente, é sócio-diretor responsável pelo departamento comercial da Sucos do bem, empresa carioca de bebidas e, antes, foi diretor-comercial da Nutrimental e diretor de vendas da Heineken para a América Latina.

"Não gosto de conquistar algo e ficar parado, usufruindo da zona de conforto proporcionada pela conquista. Quando fazemos isso, perdemos a oportunidade de alcançar novas conquistas."

BIBLIOGRAFIA

BORTOLE, Carlos. Muda a História. *Revista Judô*, São Paulo: Ed. Ippon, n. 12, p. 10-11, set. 1997.

CASTROPIL, Wagner; MOTTA, Rodrigo. *Esportismo*: valores do esporte para o alto desempenho pessoal e profissional. São Paulo: Ed. Gente, 2010.

CBJ – CONFEDERAÇÃO BRASILEIRA DE JUDÔ. Histórico em competições. Disponível em: <http://www.cbj.com.br/novo/institucional.asp>. Acesso em: 10 jun. 2009.

CROUCHER, Michael; REID, Howard. *O caminho do guerreiro*: o paradoxo das artes marciais. 11. ed. São Paulo: Ed. Cultrix, 1990.

FROMM, Alan; SOAMES, Nicholas. *Judo*: the gentle way. Londres: Viking Pr, 1982.

HYAMS, Joe. *O zen nas artes marciais*. 12. ed. São Paulo: Ed. Pensamento, 1997.

INSTITUTO NITEN. *Samurai*: a história dos samurais. Disponível em: <http://www.niten.org.br/samurai.htm>. Acesso em: 10 jun. 2009.

KANO, Jigoro. *Energia mental e física*: escritos do fundador do judô. São Paulo: Ed. Pensamento, 2008.

KUDO, Kazuzo. *O judô em ação*. São Paulo: Sol S.A., 1972.

MIFUNE, Kyuzo. *The canon of judo*: classic teachings on principles and techniques. Tokyo: Kodansha International, 2004.

MOSHANOV, Andrew. *Judo*: from a russian perspective. Vaihingen/Enz: Ipa-Verlag, 2004.

MUSASHI, Miyamoto. *O livro de cinco anéis*: guia clássico de estratégia japonesa para os negócios. Rio de Janeiro: Ed. Ediouro, 2000.

REVISTA KIAI. São Paulo: Federação Paulista de Judô (FPJ), 1998, p. 9.

SCHILLING, Voltaire. Confúcio e o estado ideal. *Terra*, [S.l.], [s.d.]. Disponível em: <http://educaterra.terra.com.br/voltaire/politica/2002/11/25/003.htm>. Acesso em: 10 jun. 2009.

_____. Japão, o último samurai. *Terra*, [S.l.], [s.d.]. Disponível em: <http://educaterra.terra.com.br/voltaire/mundo/2004/03/01/001.htm>. Acesso em: 10 jun. 2009.

STEVENS, John. *Três mestres do budo*.São Paulo: Ed. Cultrix, 2007.

SUGAI, Vera Lúcia. *O caminho do guerreiro*. São Paulo: Ed. Gente, 2000. 1 v.

TOMITA, Tsuneo. *Sanshiro sugata*. São Paulo: Ed. Topan Press, 2007.

VIRGÍLIO, Stanlei. *A arte do judô*. 3. ed. Porto Alegre: Ed. Rígel, 1994.

YUZAN, Daidoji. *Bushido*: o código dos samurais. 3. ed. São Paulo: Ed. Madras, 2003.

WILSON, William Scott. *O samurai*: a vida de Miyamoto Musashi. São Paulo: Ed. Estação Liberdade, 2006.

OS AUTORES

Sensei Rioti Uchida (6°dan) é diretor técnico e professor da Associação de Judô Alto da Lapa e uma das maiores referências técnicas do judô internacional, muito conhecido por entender e aplicar o judô como instrumento de educação física, intelectual e moral. Campeão mundial de kata 15 vezes em diferentes modalidades (Nage-No-Kata, Ju-No-Kata, Katame-No-Kata, Kime-No-Kata, Kodokan-Goshin-Jitsu e Koshiki-No-Kata), Uchida é um dos poucos judocas do mundo cuja graduação alcançada perante a federação local (Federação Paulista de Judô — FPJ) é também reconhecida pelo Kodokan Judo Institute, entidade mais antiga do judô, criada em 1882 pelo próprio fundador da arte marcial, sensei Jigoro Kano. O feito prova o reconhecimento internacional de Uchida, já que a graduação de um judoca no Kodokan, normalmente é um grau inferior à outorgada pela federação local.

ruchida@editoraevora.com.br

Sensei Rodrigo Motta (5° dan) é campeão pan-americano, tetra-campeão sul-americano e tetracampeão brasileiro de judô. Como bom discípulo de sensei Uchida, ele também se destaca por conquistas nacionais e internacionais em disputas de kata. Mas seus feitos transcendem a área de luta e se estendem para as letras e os estudos. Formado em Administração Pública, com pós-graduações e mestrado, Motta é coautor de outros livros, entre os quais *Esportismo*, em que trata da influência benéfica dos valores do esporte sobre vários aspectos de nossas vidas. A história de Motta talvez seja o melhor exemplo dessa tese. Depois de uma séria lesão, médicos chegaram a dizer que ele não mais poderia praticar judô. Motta venceu o diagnóstico médico e muito mais dentro e fora do tatame, provando a premissa judoca de que vencer não é jamais cair, mas sempre se levantar.

rmotta@editoraevora.com.br

Este livro foi impresso pela Gráfica Loyola em papel Kromma 80g.